D0766679

FAUX JOUR

ŒUVRES DE HENRI TROYAT

Aux Éditions Plon :

FAUX JOUR *(Prix Populiste 1935).*
LE VIVIER.
GRANDEUR NATURE.
L'ARAIGNE *(Prix Goncourt 1938).*
JUDITH MADRIER.
LE MORT SAISIT LE VIF.
LE SIGNE DU TAUREAU.
LA TÊTE SUR LES ÉPAULES.
LA FOSSE COMMUNE.
LE JUGEMENT DE DIEU.
LA CLEF DE VOÛTE
(Prix Max Barthou, de l'Académie française 1938).
LES SEMAILLES ET LES MOISSONS :
I. Les Semailles et les Moissons.
II. Amélie.
III. La Grive.
IV. Tendre et violente Elisabeth.
V. La Rencontre.
L'ÉTRANGE DESTIN DE LERMONTOV.
POUCHKINE.
DE GRATTE-CIEL EN COCOTIER.
LE FAUTEUIL DE CLAUDE FARRÈRE.
DISCOURS DE RÉCEPTION A L'ACADÉMIE FRANÇAISE.

Aux Éditions de la Table Ronde :

TANT QUE LA TERRE DURERA :
I. Tant que la terre durera.
II. Le Sac et la Cendre.
III. Étrangers sur la Terre.
LA CASE DE L'ONCLE SAM.
UNE EXTRÊME AMITIÉ.

Aux Éditions Flammarion :

LA NEIGE EN DEUIL.
DU PHILANTHROPE A LA ROUQUINE.
LA LUMIÈRE DES JUSTES :
I. Les Compagnons du Coquelicot.
II. La Barynia.
III. La Gloire des Vaincus.
IV. Les Dames de Sibérie.
V. Sophie ou la Fin des Combats.
LE GESTE D'EVE.
LES EYGLETIÈRE :
I. Les Eygletière.
II. La Faim des Lionceaux.
III. La Malandre.
LES HÉRITIERS DE L'AVENIR :
I. LE CAHIER.
II. CENT UN COUPS DE CANON.

Chez d'autres Éditeurs :

DOSTOÏEVSKI, l'homme et son œuvre (Ed. Fayard).
SAINTE RUSSIE. Réflexions et Souvenirs (Ed. Grasset).
TOLSTOÏ (Ed. Fayard).

Dans Le Livre de Poche :

LA TÊTE SUR LES ÉPAULES.
LE VIVIER.
L'ARAIGNE.
LE SAC ET LA CENDRE (2 tomes).
LE MORT SAISIT LE VIF.
UNE EXTRÊME AMITIÉ.
LES SEMAILLES ET LES MOISSONS.
AMÉLIE.
GRANDEUR NATURE.
LA GRIVE.
TANT QUE LA TERRE DURERA (3 tomes).
ÉTRANGERS SUR LA TERRE (2 tomes).
TENDRE ET VIOLENTE ELISABETH.
LA RENCONTRE.

HENRI TROYAT

DE L'ACADÉMIE FRANÇAISE

Faux jour

PLON

A

ROBERT DE SAINT-JEAN

On nous aligna contre le mur du salon, les talons joints, les bras croisés sur la poitrine, face à la nuit qui sentait la résine fraîche et le pain d'épice. On nous interdit de parler. On nous interdit de bouger. Moi, je savais la raison de ces préparatifs; et cependant je ne pouvais empêcher qu'une anxiété respectueuse me desséchât la gorge. Je répétais mentalement :

« Pourvu que ce soit « ça », pourvu que ce soit « ça »...

Comme si cela pouvait être autre chose. ce scintillement conique qui palpitait dans le coin le plus éloigné.

Les « grands », massés devant la porte, s'impatientaient. Mon père dit :

« Une, deux, trois... »

Et j'entendis grincer la molette de son briquet, qu'il se vantait d'être le seul à savoir allumer d'une main.

Mais le briquet cracha de courtes étincelles et s'éteignit. Quelqu'un cria :

« Voulez-vous des allumettes, Guillaume? »

Il rit :

« Non, non, merci... »

Au cliquetis de ses boutons de manchette entrechoqués, je reconnus qu'il secouait le réservoir d'essence.

« Je reprends : une, deux, trois... »

Il approcha la pointe molle de la flamme du fil qui reliait les lumignons entre eux et attendit. Une clarté sautillante fila d'une mèche à l'autre avec de soudains écroulements et de brèves flambées. On aurait dit un de ces sveltes acrobates, qui volent de trapèze en trapèze avec une aisance telle qu'on les soupçonne, à la hauteur vertigineuse où ils déroulent leur exercice, d'échapper aux lois de la pesanteur.

A mesure que l'arbre s'illuminait, je constatais avec ravissement que rien dans ce géant orgueilleux et paré ne rappelait le vulgaire sapin que j'avais vu couché contre le mur du fleuriste. On avait emmitouflé le pot de grès dans un linge blanc saupoudré de mica et disposé des flocons d'ouate sur les rameaux. Des chaînes de papier doré descendaient du faîte et balayaient le parquet luisant; des bonshommes Noël aux houppelandes fourrées passaient leur barbe de coton à travers les aiguilles pâles; et depuis le tronc velu jusqu'à l'extrême pointe des branches qu'elle faisait ployer, une nombreuse floraison de pommes, d'oranges, de noix argentées ou vermillonnées, d'angelots joufflus, de boules grenues, côtelées ou squameuses, de stalactites laiteux et d'astres vitrifiés aux longues queues de crin jaune recueillait et décuplait la tremblante lumière des bougies. Cet accoutrement barbare et somptueux jurait si bien avec les meubles sobres de la pièce que je me crus un instant à la frontière de deux mondes : l'un familier jusqu'à l'écœurement, où les convenances me tenaient prisonnier, et l'autre, plein de festoiements et de miracles, vers quoi je brûlais de m'enfuir. Comme je demeurais stupide d'émerveillement, ma mère dit :

« Guillaume! Eteins la dernière, près de l'étoile : elle va mettre le feu aux chaînes. »

Mon père grimpa sur un escabeau, étendit le bras, écrasa la mèche entre le pouce et l'index, simplement, comme un insecte importun. Et le bâtonnet de cire qui rayonnait d'une clarté rose, intérieure et discrète, disparut dans l'ombre.

Je regardai mon père. Dressé de toute sa taille hors de cette verdure qu'il prolongeait comme une efflorescence compliquée, la peau et les vêtements fardés de mille reflets mouvants, la bouche pleine de rires, il paraissait grandi, transfiguré, immatérialisé, le génie même de la forêt natale que nos misérables rumeurs avaient tiré de son repos. On craignait de le voir s'éva nouir tout à coup, comme s'écroule au moindre cri la neige des hautes montagnes, ou qu'un mouvement disgracieux ne nuisît à la perfection de son attitude. Mais il demeurait immobile, comme s'il eût deviné mon appréhension. Et l'image de son immobilité se gravant merveilleusement dans mon esprit, je croyais le contempler encore qu'il était déjà sur nous, les bras chargés de paquets aux coins nets. Il les distribuait avec des tapes sur les joues et d'énigmatiques plaisanteries. Il feignait de s'intéresser à leur contenu, s'impatientait aux nœuds, réclamait des ciseaux, et, le couvercle soulevé, s'extasiait sur la délicatesse et la générosité du père Noël, pendant qu'un regard souriant qu'il adressait à ma mère nous renseignait sur la source de tant de bontés.

Soudain, avisant deux de mes cousines qui se tenaient à l'écart, il s'exclama que ces jeux n'étaient pas de leur âge et qu'il allait leur dire la bonne aventure. Nous fîmes cercle autour de lui. Il déchira des feuillets de son agenda, et sur chaque feuillet inscrivit un prénom masculin avec ce titre : « Votre futur mari. » Ensuite, il colla ces étiquettes au rebord d'une cuvette pleine d'eau que je lui rapportai de la cuisine, ficha un lumignon dans une coquille de noix, et lança le brûlot improvisé dans le bassin. L'une après l'autre les jeunes filles poussaient l'esquif d'une pichenette et attendaient. Il voguait en se dandinant, frôlait les parois polies, et brusquement enflammait un billet vers quoi l'avaient dirigé les remous. Elles se précipitaient avec des piaillements et des battements de mains, s'emparaient du papier à demi consumé, lisaient :

« Paphnuce, Agathocle... »

Ou encore :

« Paul, Jacques, Roger... »

Ce qui les troublait davantage.

Je considérais ces distractions avec un mépris viril. Mon père s'en aperçut. Il demanda :

« Et toi, qu'as-tu reçu? »

Puis, avisant la boîte de prestidigitateur que je tenais sous le bras :

« Silence! » cria-t-il.

Il monta sur une chaise, se coiffa du bonnet pointu parsemé d'étoiles, retroussa les manches de son smoking sur ses avant-bras blancs et légèrement velus. Il prit un œuf dans la trousse, le palpa longuement, et, soudain, de la coque, tira trois mouchoirs de soie noués bout à bout et qui figuraient le drapeau français. Ensuite il dévissa un petit cylindre de nickel plein de terre noire, nous fit entendre le son plein que rendaient les parois, le revissa, le frôla de la pointe de sa baguette magique et, le couvercle à nouveau retiré, nous désigna d'un doigt triomphant le minuscule arbrisseau de carton verdâtre poussé là par le prodige de son intervention. Enfin, saisissant un couteau, il se le planta dans la paume avec des contorsions et des grimaces de douleur, pendant qu'un crissement de ressort nous avertissait qu'au lieu de traverser les chairs saignantes la lame s'enfonçait dans le manche, lentement.

Je savais bien que l'arme était inoffensive, que la plante n'avait pas germé là par génération spontanée et que l'œuf était évidé, mais, tout de même, serré contre mes camarades, je considérais avec une admiration peureuse cet homme aux larges épaules et aux yeux d'enfant dont les belles mains laissaient couler sur nous une intarrissable pluie de miracles.

PREMIERE PARTIE

I

J'AVAIS huit ans lorsque ma mère mourut. Mon père, que ses affaires appelaient en Amérique, chargea ma tante de mon éducation. Elle habitait un appartement petit, tortueux et surchauffé. Les fenêtres du salon donnaient sur une cour pleine d'ombre et de rumeurs domestiques. Les murs étaient bas, tendus d'un papier café crème dont les raies alternativement ternes et luisantes cernaient la chambre comme les barreaux d'une prison. Une table en chêne ciré, quatre chaises, une armoire à crédence embarrassée de colonnes torses et de frêles balustrades, la meublaient. Mais, pour corriger ce que le décor aurait eu de sévère, les parois offraient à mi-hauteur une série de lithographies anglaises, de miniatures aux cadres de coquillages pressés, d'assiettes-énigmes, disposées en quinconce, et qui ne m'intéressaient plus depuis que j'avais découvert que l'âne du meunier noyait son profil dans le tronc tourmenté d'un saule et que la femme du garde champêtre adaptait son sourire aux méandres capricieux du ruisseau. Sur la cheminée une dizaine de minuscules cactus dans leurs pots de porcelaine à lettrines entouraient une pendulette en marbre mauve, avec un soleil sale au bout du balancier. La crédence portait un bataillon de tasses minces et contournées, de sucriers trapus, de théières pansues, de panetières pressées, de gobelets, de coquetiers, de fioles hors d'usage et sans valeur. Et ce qu'il restait de surface plane s'ornait de sous-plats, de sous-nappes, d'appuis-main, d'appuis-pied, d'appuis-tête au crochet ou en dentelles, de coussins en velours pyrogravé, bordés de résilles, de bouillons, de volants, de festons, de franges, de glands et de pompons, de tabourets rembourrés, de chaufferettes, de carpettes, de moquettes, de sparteries de toutes teintes et de toutes dimensions, où les pieds s'empêtraient, le seuil à peine franchi, comme dans une flore indisciplinée. Cela sentait l'étoffe moisie, la sauce refroidie, les médicaments éventés. Cela donnait l'envie d'être triste et de vieillir. C'est au cœur de cet amas de bibelots disgracieux que ma tante siégeait de neuf heures du matin à dix heures du soir.

Elle avait un visage aux pâleurs onctueuses, sans rides et encombré d'un long nez. Sa bouche pincée imitait la grimace des couturières qui tiennent des épingles entre leurs lèvres. Ses cheveux étaient rares, mais des sourcils broussailleux débordaient ses lunettes à monture de métal, où rêvaient deux yeux ronds, verdâtres et liquides comme la chair mollette d'une huître. Elle parlait avec lassitude, hésitait sur le choix des mots, et ne découvrait le terme exact qu'après l'avoir cherché par quatre ou cinq expressions approximatives. Elle disait, s'adressant à la bonne :

« Ecoutez, ma fille... Pour aujourd'hui... Vraiment... je pense que voici... Le mieux c'est de prendre un... ah! comment déjà... un... vous savez bien quoi... »

Elle s'arrêtait, frottait son pouce contre son auriculaire, comme pour le débarrasser d'une colle qui le poissait, fermait les yeux avec effort. On lui soufflait :

« Un plat... une casserole... »

Elle secouait tristement la tête :

« Voyons... alors... Quelle histoire... encore...

— Une cocotte... »

Elle acquiesçait, soulagée :

« Une cocotte... Et vous allez y griller, ou plutôt y rôtir... y faire revenir... »

Sa conversation était strictement culinaire. Je n'ai

jamais connu ma tante sans qu'un grandiose projet d'omelette ne la préoccupât. Car elle s'était spécialisée dans les omelettes, jugeant que la confection d'un potage ou d'un entremets demandait une technique sûre, mais excluait par là même toute fantaisie. Elle puisait l'idée du plat dans un de ses huit livres de cuisine, bouquins crasseux, ventrus et infiniment précieux, mais transformait cette donnée initiale jusqu'à la rendre absolument méconnaissable. Ces élucubrations absorbaient toute son activité. Souvent, à table, je la voyais, le doigt sur la tempe et le front plissé, suivre mentalement les phases d'une cuisson. Un silence respectueux entourait son travail. Tout à coup, elle laissait tomber avec un sourire malin :

« ... Et si j'ajoutais... ou plutôt j'introduisais... Et si j'ajoutais des truffes coupées en lames minces... On leur ferait prendre forme... Qu'est-ce que je dis « forme »!... couleur... sur le feu... Et aussi le reste... bien sûr... tout le reste... beurre, sel, poivre... et du persil et du gruyère hachés fin... Qu'en dites-vous, Frinne? »

La bonne s'appelait Frinne, sans que j'aie jamais pu savoir de quel prénom ce vocable était le diminutif. Elle était de petite taille, et une opulente chevelure rousse écrasait son visage cireux. Elle répondait invariablement :

« Je suis sûre que M. Jean aimera ça...

— Je crois aussi », disait ma tante.

Car ma tante ne m'accordait d'attention qu'autant que je pouvais la renseigner sur le degré de perfection des mets que son régime lui interdisait de goûter par elle-même. Mes études, mes projets ne l'intéressaient guère. Elle ne se gênait pas pour l'affirmer d'ailleurs, m'interrompant souvent au milieu d'un récit par un « mon Dieu! quel ennui! quel ennui! » qui me décourageait.

Cette indifférence, dont je crus d'abord être le seul à supporter l'injure, s'étendait en réalité à tout son entourage. Elle estimait inutile de dissiper une affection qui trouvait un si digne objet de culte en sa propre personne. Elle s'appliquait à deviner ses moindres désirs, ses moindres malaises, pour s'efforcer de les satisfaire ou de les apaiser au plus tôt. Elle se choyait avec indulgence. Et les bruits du monde venaient mourir au seuil de cette quiétude qu'elle avait su conquérir et qu'elle défendait à présent à force d'égoïsme souriant et de persévérance.

Ma tante! Frinne! Entre ces deux femmes, ma vie coulait avec une monotonie écœurante. A sept heures je me levais, je m'habillais, et Frinne me conduisait au lycée à travers les rues endormies. La classe était longue, avec des murs badigeonnés de couleur chocolat jusqu'à mi-hauteur, crème au-dessus. Entre les deux fenêtres à carreaux dépolis étaient épinglés les dessins des meilleurs élèves. Ils représentaient invariablement des feuilles de platane étalées à plat, roussies sur les bords et aux nervures accusées. Comme j'étais timide, la peur d'être interrogé me tenaillait jusqu'au malaise. Je cherchais à me dissimuler derrière le dos de mes camarades. J'inventais mille prétextes pour sortir : j'étais indisposé, ma tante m'avait prié d'aller prévenir le proviseur de sa visite, la craie manquait au tableau et l'économe m'avait enjoint de venir par moi-même en renouveler la provision. Il m'arrivait ainsi de pouvoir m'échapper de la salle où les autres continuaient de somnoler. Je filais à travers les couloirs déserts, attentif à marcher sur la pointe des pieds, par crainte d'être entendu de quelque surveillant en tournée d'inspection. Je gagnais les cabinets. Il y régnait une bonne grosse chaleur qui vous engourdissait dès le seuil. L'eau ruisselait avec un doux bruit sur les ardoises. De soudains grondements secouaient les tuyaux fixés au mur. Près de la fenêtre, il y avait un essuie-main aux extrémités cousues bout à bout, et qui était monté sur deux rouleaux parallèles, comme une courroie de transmission. Le drap en était maculé de brun par le sang des genoux écorchés, de noir par les plumes que l'on retirait des porte-plume en s'emmaillotant les doigts dans l'étoffe, de gris par la crasse des mains à peine lavées entre deux chutes sur les cailloux boueux de la cour. Je l'inspectais souillure par souillure, imaginant pour chacune l'incident qui l'avait provoquée. J'avais l'impression de déchiffrer un grimoire précieux. Je m'émerveillais de retrouver à travers cet alphabet connu de moi seul l'histoire obscure et mouvementée du lycée Faraday. Parfois, un camarade venait me rejoindre. Nous échangions des timbres avec gravité. Chacun de nous possédait un classeur et des pincettes nickelées. La présentation de la collection jouait un grand rôle. Certains collaient leurs timbres sur des feuilles volantes et les encadraient de doubles traits à l'encre rouge et violette, avec au-dessous le nom du pays et le prix du catalogue en bâtarde; d'autres les tenaient dans de minuscules enveloppes transparentes d'où ils ne les sortaient qu'une fois le marché conclu, et avec d'amoureuses précautions.

Je quittais le lycée à six heures et demie. Frinne m'attendait. Les rues étaient sombres. Les vitres des magasins suaient une buée orange et lumineuse qui dérobait l'étalage. Les réverbères clignaient. Des autos roulaient mollement. Frinne se taisait. Seulement, avant de traverser la chaussée, elle disait :

« Attention! »

Et de nouveau elle se taisait. La courroie du sac me sciait l'épaule. Je la faisais sauter à chaque pas dans un cliquetis de plumes et de règles. A la maison, ma tante, assise devant la fenêtre, les mains aux genoux, les yeux perdus, me tendait le front. J'y déposais le baiser rituel. Elle disait :

« Tu as essuyé tes souliers sur le paillasson?...

— Oui...

— Et le temps? Comme il est mauvais... Oui?... Il faudra faire clouer des bourrelets aux fenêtres... Frinne... heu... Qu'est-ce que je voulais dire... Oui... servez... »

A table, elle s'animait un peu. Raide, le regard anxieux, elle suivait les gestes de Frinne qui déposait sur mon assiette la flaque jaune ponctuée de vert d'une omelette aux fines herbes. Je savais ce qu'elle attendait de moi. C'est avec une lenteur solennelle que je portais le premier morceau à ma bouche. Mais à peine l'aliment avait-il touché mon palais que je m'écriais :

« Celle-là, on peut dire qu'elle est réussie! »

Son visage crispé se détendait. Elle se tournait vers Frinne et concluait doctoralement :

« Vous voyez ce que je vous avais dit, Frinne; le fenouil... le fenouil rend mieux que le persil...

— Madame avait raison.

— Alors? Ça te plaît?

— Homph! grognais-je, comme fâché d'être interrompu dans une mastication dont je tirais tant de volupté.

— Eh bien, tiens... »

Tout le contenu du plat glissait dans mon assiette. Je remerciais avec une confusion feinte qui la remplissait d'aise :

« C'est trop... »

A quoi elle répondait fatalement :

« Alors... si c'est trop... je vais reprendre... si c'est trop... Ne te force pas... Non?... »

Et elle tendait la main. Je faisais une moue déconfite et laissais retomber ma fourchette avec découragement. Frinne, qui connaissait son rôle, riait :

« Laissez-le, madame. Il a faim. Dieu sait les saletés qu'on leur donne dans leur lycée! »

Ma tante me tapotait la joue.

« Je plaisantais... »

Et c'était tout. Les autres mets, étant préparés par Frinne seule, ne bénéficiaient pas de la petite comédie. Il seyait au contraire de les goûter du bout des dents et de repousser le couvert dès les premières bouchées en marmonnant :

« Je n'ai plus faim. »

Ma tante disait d'un air absent :

« Il faut manger, à ton âge. »

Je secouais la tête. Elle n'insistait pas. Et Frinne s'éloignait avec une grimace vexée :

« Il faut croire que M. Jean aime mieux la cuisine de madame que la mienne.

— Quelle bêtise! Où est-elle allée chercher cette bêtise! Elle est drôle... »

Et le triomphe dilatait ses joues flasques, allumait ses prunelles troubles jusqu'à la rendre vraiment majestueuse.

Le repas terminé, ma tante retournait à son fauteuil, près de la fenêtre, et feuilletait un livre de cuisine aux tranches hérissées de signets multicolores. Moi, je m'étendais à plat ventre, le menton dans les paumes. Je feignais de repasser mes leçons. Mais je la regardais. Bientôt elle dodelinait de la tête, marmonnait quelques paroles incohérentes et s'endormait, le bouquin sur les genoux. Alors cette immobilité et ce silence me devenaient insupportables. De la rue, de la maison ne venait aucun bruit. Seulement, à intervalles égaux, l'aiguille du cartel se déplaçait dans un hoquet.

Je songeais que le lendemain ramènerait l'éveil frileux, les vêtements enfilés à la hâte, la classe grise, les devoirs bâclés, la soirée à jamais vidée de toute incertitude. Et le surlendemain aussi. Je ne voyais pas de fin à la placidité onctueuse, au permanent bien-être qu'on m'imposait. J'étouffais d'ennui. Et cette contrainte m'exaspérait d'autant plus que je me rappelais l'existence turbulente que j'avais menée auprès de mon père. La maison retentissait de sa grande voix, les portes claquaient sur son passage, les vitres vibraient, de brusques courants d'air soulevaient les paperasses sur la table, des inconnus entraient, sortaient, qu'il présentait à ma mère comme ses meilleurs amis et que nous ne revoyions jamais. On avait l'impression d'habiter une maison qui n'était pas la nôtre, où la place des objets n'était que provisoire, qu'un départ irréfléchi allait nous emporter vers des îles et que le monde entier avait les yeux fixés sur nous.

Et, comme je poursuivais l'évocation de cette période fébrile, un véritable affolement s'emparait de moi. Je sentais que, privé de mon père, je perdais la force et le goût de vivre. J'avais besoin de ce halo de gestes, de paroles, de regards, qu'il transportait avec lui. J'essayais d'espérer. Je me fixais une date à l'avance. Je m'affirmais que, ce jour-là, rentrant du lycée, je le trouverais assis devant ses malles ouvertes, rieur, bavard et mystérieux, comme je l'aimais. Pourtant, ses lettres, rares et vagues, ne parlaient pas de retour. Seul un illogisme obstiné me rendait l'attente supportable. Et puis, je croyais obscurément que l'annonce d'un événement aussi grandiose ne se confiait pas à un vulgaire chiffon de papier.

Mais un soir, ouvrant un télégramme que Frinne venait de lui remettre, ma tante s'affaissa à demi sur sa chaise et murmura d'une voix sans timbre :

« Ton père arrive lundi... Et le lundi il n'y a pas de marché... »

II

« ÇA, par exemple! Et moi qui vous cherchais depuis une demi-heure! Mais il a une mine superbe, le petit! »

Deux mains me saisirent aux aisselles, tentèrent de me soulever, puis me lâchèrent, et une figure suante et riante se pencha vers moi :

« Trop lourd pour nous, jeune homme! »

Il était grand, carré d'épaules, et de poitrine si large que je le soupçonnai de retenir son souffle pour la bomber. Son feutre enfoncé jusqu'à corner les oreilles donnait de l'ombre à son visage.

« Guillaume! Guillaume! gémissait ma tante avec plus d'affolement que de tendresse.

— Ne m'embrassez pas. Je suis crasseux, mal rasé et je sens le pipi de chien. Parfaitement! Il y en avait un dans le compartiment. Un berger d'Alsace. Des oreilles comme des clochers de cathédrale! Une queue à s'en faire des houpettes! J'ai pensé l'acheter! Mais le propriétaire en voulait trois mille! J'en offrais deux! D'ailleurs rien n'est encore perdu! Mais je m'égare. Procédons par ordre... »

Il se redressa soudain, les mains aux coutures du pantalon, dit avec une gravité comique :

« Chère belle-sœur, daignez accepter les hommages d'un vagabond repentant! » partit d'un éclat de rire qui fit se retourner les derniers voyageurs qui se hâtaient vers la sortie, et me pressa contre les boutons de son gilet :

« On a roulé comme sur de l'huile! Le mécanicien doit être un as! Si vous le permettez, j'irai lui serrer la main tout à l'heure. Une vieille habitude à moi. Un tic... Tu regardes la *mountain?* Un beau morceau de mécanique, hein! Tous ces pistons, ces bielles, ces foyers! Comme cela singe bien la vie! Et pourtant il manque quelque chose à cette ferraille disciplinée! Quelque chose que l'inventeur le plus authentiquement génial ne créera jamais dans le silence de son cabinet de travail! J'ai nommé l'âme! *Anima!* Nos matérialistes obtus l'ont rayée de la mode, mais elle subsiste dans la vie! Car la vie se moque de la mode! Comme d'ailleurs la mode se moque de la vie! Le jour où elles se réconcilieront, le monde mourra d'ennui! Poum! Voilà une sentence lapidaire que Wilde lui-même n'aurait pas désavouée! Viens... Venez, Angèle! »

Et, me serrant la main dans sa paume chaude et forte, il m'entraîna vers le convoi. Devant la locomotive, il s'arrêta, secoua la tête et dit :

« Une sauterelle d'acier, une merveilleuse sauterelle d'acier! »

Ma tante, qui s'essuyait le front avec le tampon d'ouate qu'elle portait toujours entre sa manche et son poignet, l'interrompit :

« Non, voilà... vraiment... C'est bien le moment... Vous ne voyez pas : nous gênons... Et vos bagages?...

— Mes bagages? « L'esclave-porteur » s'en est chargé! Seulement qu'est-ce qu'il fout, « l'esclave-porteur »? *That is the question!* »

Il se tut, regarda par-dessus les têtes, sans se hisser sur la pointe des pieds, ni renverser le menton :

« Ah! Le voilà! »

Il dit encore quelque chose qu'un coup de sifflet m'empêcha d'entendre, ficha un journal entre le feutre et le ruban de son chapeau, cria :

« Je vous retrouve à la sortie! Ralliez-vous à mon panache blanc! »

Il se mit à courir, accompagnant chaque enjambée d'un plongeon de l'épaule et d'un balancement arrondi des coudes.

Lorsque nous débouchâmes sur l'esplanade, il parlementait avec un chauffeur de taxi.

« Asseyez-vous », dit-il.

Lui-même s'affala sur la banquette du fond et rejeta son chapeau sur la nuque. Son visage apparut, ferme et rouge, avec seulement un liséré pâle aux racines des cheveux et des sourcils, comme un visage d'acteur imparfaitement maquillé. Les cils décolorés et pointés vers le bas voilaient d'une certaine douceur le bleu aigu du regard. Il avait un nez un peu long, aux fortes narines bien ouvertes, et dont l'arête luisait, des pommettes hautes, avec deux taches bistres à l'affleurement de l'os, et un menton épais, robuste et divisé par le milieu comme un beau fruit.

Maintenant, pinçant sa chemise entre le pouce et l'index, il la tirait et la relâchait alternativement pour se ventiler la peau. Il marmonnait :

« Ouf! Ouf! Ouf!

— Bien sûr... Ça... ça devait être comme ça... On voyage... et la fatigue... Non?... »

Il lança un formidable éclat de rire.

« La fatigue? *What's that?* Fatigue? Connais pas! Ma pauvre Angèle, mettez-vous dans la tête que votre beau-frère est... *How do you say it?...* en acier chromé du cheveu à l'ongle de l'orteil. Parenthèse : vous m'excuserez pour mon accent américain et pour la difficulté que j'éprouve à trouver mes mots. On ne vit pas impunément chez *Uncle Sam.* Il déteint... Il.. Mais qu'est-ce qu'il fait, cet imbécile? »

Et il frappa de sa bague à la vitre qui nous séparait du chauffeur.

« Vous ne pourriez pas suivre un chemin plus long! C'est bon pour les étrangers, votre système! »

Ma tante joignit les mains avec une mollesse étudiée :

« Alors... exactement... vous vous souvenez de Paris... cinq ans... après cinq ans...

— Pas du tout. Seulement c'est un truc qui prend toujours avec ces gaillards! Ah! c'est que j'ai plus d'un tour dans mon sac! »

Il y eut un court silence.

« Et toi, qu'est-ce que tu deviens? »

Ma tante répondit pour moi :

« Il devient... la cinquième au lycée Faraday...

— Ah! ah! dit mon père... Très bien, parfait... »

Ma tante parlait toujours. Mon père l'écoutait, donnait de légers coups de mâchoire en l'air pour montrer qu'il avait compris, me tapotait les genoux du plat de la main. Ses paupières brunes et racornies comme de vieilles feuilles tremblaient sur ses prunelles noyées. Sa tête ballait à chaque cahot. Ses lèvres remuaient sur du silence. Il allait s'endormir, lorsque le taxi stoppa contre le trottoir.

« On est rendu? demanda mon père.

— Dites plutôt qu'on est foutu », grogna le chauffeur.

Il descendit, tapa du talon les pneus et le marchepied, sans raison apparente, et retira sa veste. Comme des badauds cernaient déjà la voiture, ma tante rougit, s'éventa nerveusement avec un journal, puis, n'y tenant plus, tira mon père par la manche :

« Aïe, aïe, aïe... Comme ça... avec ces gens qui nous regardent... Prenons-en un autre... Il en passe... »

Mais mon père paraissait heureux d'être le centre de l'attention. Il dit, d'une belle voix grave, et lentement, de façon à être entendu de tous :

« Pensez-vous! C'est l'affaire d'une minute! »

Et il descendit à son tour, s'approcha de l'homme :

« Alors, mon vieux... veux-tu que je te donne un coup de main? »

Il retroussa ses manches. Il s'accroupit. Le cercle des curieux se resserra autour d'eux. J'étais effrayé de cette popularité soudaine, et un peu fier aussi. Je l'entendis affirmer d'un ton cassant :

« Et moi je te dis que c'est le gicleur qui est obstrué. »

Quelqu'un remarqua :

« Obstrué toi-même.

— Laissez-moi faire, dit le chauffeur.

— Que je te laisse faire? Mais tu en aurais pour toute la journée! Tu crois que tu y connais quelque chose à ton moteur? Vous croyez qu'il y connaît quelque chose à son moteur? D'abord, sais-tu pourquoi ça marche, un moteur?

— Dame! commença le chauffeur estomaqué.

— Tu ne sais pas? Tu ne sais pas pourquoi un moteur marche? Et tu prétends découvrir pourquoi il ne marche pas? Un médecin qui te dirait : « Je « ne sais pas pourquoi vous vivez, mais je vais tâcher « de vous guérir », aurais-tu confiance en lui? Non, n'est-ce pas? Eh bien, un moteur est bâti comme un corps humain! Il est aussi merveilleux et aussi fragile! C'est pourquoi, avant de le guérir, il faut savoir quel est son principe vital, la cause initiale de son fonctionnement... Tu m'entends?... Vous m'entendez?... Et moi je te dis que la cause initiale de son fonctionnement, c'est le gicleur! A présent, tu sais ce qu'il te reste à faire! A bon entendeur, salut! »

Ma tante s'était calée dans le fond du coupé pour échapper aux regards de la foule sans cesse accrue Elle grognait :

« Ça devait arriver!... C'est extraordinaire!... Véritablement ton père est resté le même!... Pourquoi, et quel besoin?... Il se mêle toujours de ce qui ne le regarde pas!... »

Mais déjà il nous rejoignait, poudreux par plaques et les doigts écorchés :

« Ils ne savent rien de rien! On devrait leur faire subir un examen de mécanique élémentaire avant de leur délivrer le permis. Il n'y a qu'en France qu'on peut voir... »

Le moteur ronfla.

« Ah! Tu as touché au gicleur? demanda mon père.

— Non, aux bougies. »

Il y eut des rires. Mon père haussa les épaules.

« Eh bien, écoute un peu la chanson du moteur! Il cogne! Il cogne comme un damné! Et, tant que tu ne répareras pas le gicleur, il cognera! Maintenant, je te conseille de prendre tes roues à ton cou et de filer! Tu nous a fait perdre assez de temps comme ça... »

L'auto démarra. Mon père avait renversé la tête et souriait béatement. Autour de lui, les façades, stores baissés et volets mi-clos, le ciel d'un bleu surchauffé, où les nuages fondaient aussitôt mûris, les feuilles poudrées des platanes, la ville entière, viraient d'un bloc à chaque coup de volant. Seul, il demeurait au centre des choses passagères. Il commandait à leur galopade effrénée.

« Paris! Paris! » disait-il.

Mais, ne trouvant pas la phrase émue et sonore qu'il cherchait, il préféra fredonner :

Paris, reine du mon-onde
Paris, c'est une blon-onde.

« C'est insipide n'est-ce pas? Mais à des moments

pareils une rengaine populaire vous touche plus qu'un poème de Lamartine! Telle est la supériorité de la musique sur les autres arts! Le petit fait de la musique? Non? Fâcheux, fâcheux! La musique... »

Il ne put achever. L'auto s'arrêtait devant notre porte. Il paya d'abord le prix de la course, puis cligna de l'œil, dit au chauffeur : « Tends la main, allons, tends la main! » versa dans la paume noire de cambouis deux francs en menues pièces, lui referma les doigts sur la monnaie, et ajouta, l'index sur la bouche et les sourcils levés jusqu'au milieu du front, comme s'il venait de le gratifier royalement :

« Chut! Tu le boiras à ma santé, mon ami! Mais surtout n'oublie pas ce que je t'ai dit : le gicleur! Il n'y a que ça dans une machine comme la tienne : le gicleur! »

Une fois dans l'appartement, il fit une pirouette, déclara : « Je suis le plus heureux des hommes », et nous quitta pour aller se laver les mains. Je m'assis devant les valises couvertes d'étiquettes, et, pour la première fois, je me demandai si j'étais satisfait. Ce père était-il celui que j'attendais : le sauveur? N'éprouvais-je aucun découragement, aucune déception, aucun étonnement? Comme un peintre qui complète sa toile entre les séances de pose, et, le modèle présent, vérifie avec anxiété si les données de sa mémoire ne l'ont pas égaré dans sa tâche, de même j'appliquais sur cette face enfin retrouvée les expressions d'amour, de chagrin, de colère qu'elle prenait dans mes souvenirs. Et, à mesure que je poussais la comparaison, une gratitude infinie me soulevait. Il n'avait pas changé. Son visage cuit de soleil, sa voix déliée, ses mains toujours à voleter devant sa poitrine, je retrouvais tout! Le réel, au lieu de tuer la légende, la charpentait détail par détail. Désormais tous les espoirs étaient autorisés. Une nouvelle vie commençait où j'allais m'engager à sa suite.

« Angèle! Fermez les yeux... »

Il était devant nous, en bras de chemise et les cheveux lustrés d'eau. Il ouvrit une valise, en tira un fer à repasser emmailloté jusqu'au manche dans son cordon vert et rouge et le déposa dans les paumes tendues de ma tante :

« *Made in U. S. A.* Authentique! Vous pouvez regarder.

— Oh! Guillaume! Comme c'est aimable!... J'en avais besoin, et juste!... »

Elle déroula le fil, brancha l'appareil et, tenant la plaque à quelques centimètres de sa joue, attendit avec un sourire mignard la croissante tiédeur qui n'allait pas manquer de s'en dégager.

Mon père me présentait déjà un autre paquet :

« Un extenseur pour vous, jeune homme! C'est un modèle « Hercule ». Si tu juges les branches trop fortes je t'en achèterai un autre et garderai celui-ci pour mon usage personnel. Essaie. »

Je serrai les poignées, cambrai le dos, lançai les bras de droite et de gauche avec violence. Mais une sourde douleur aux épaules coupa mon élan.

« Je crois que je ne saurai pas, dis-je.

— C'est pourtant facile. »

Il s'empara de l'extenseur à son tour, écarta les bras l'un de l'autre lentement, jusqu'à s'appliquer les élastiques sur la poitrine, et revint à la position première. Il était un peu pâle et la veine verticale de son front battait.

« Et voilà! »

Il attendit un moment pour égaliser son souffle et poursuivit :

« Il existe toute une série de mouvements, destinés les uns à développer le thorax, les autres les biceps, les triceps... »

La voix plaintive de ma tante l'interrompit :

« Le fer... Il ne marche pas...

— Pardon?

— Regardez... »

Elle lui tendit l'appareil. Mon père le fit sauter dans sa main, fronça les sourcils, grommela :

« Oui... oui... oui... c'est le voltage qui est différent. Je vais vous arranger ça. Avez-vous un tournevis? »

Je lui apportai l'instrument demandé. Il s'assit sur une valise, posa le fer sur ses genoux. Il dit :

« Vois-tu, mon petit, dans la vie il faut savoir tout faire par soi-même. Dieu, et j'entends par Dieu le Principe, *principium* (il prononçait prinntzipioum), Dieu a créé les hommes avec des corps identiques entre eux et des facultés identiques entre elles. Il les a voulus superposables, interchangeables et anonymes comme des pions. Alors pourquoi diable voyons-nous aujourd'hui des médecins qui ne savent pas un mot d'ébénisterie et des ébénistes qui ne savent pas un mot de médecine? D'où vient cette spécialisation absurde? N'est-elle pas la raison de la décrépitude actuelle du monde? Si! Et celui-là est seul libre et sain qui est universel! »

Il avait dévissé la plaque d'acier poli, retiré les deux feuilles d'amiante, le mica, les fils croisés des résistances. Il ne parlait plus, car il tenait des vis entre les dents. Les cheveux sur le nez, le dos rond, il soufflait. Ma tante tournait autour de lui comme une chatte dont on mignote les petits. Elle disait :

« Vous ne voyez pas assez clair... Et si c'était quelque chose avec la prise de courant... Ou peut-être les plombs... Ils sautent, chez nous... »

Mon père scrutait le tapis où gisaient pêle-mêle les pièces de l'appareil, se penchait, saisissait un écrou entre le pouce et l'index, le laissait échapper, se levait, secouait son pantalon pour le déloger du pli où il aurait pu se glisser, se rasseyait, reprenait son travail. Bientôt, il grogna :

« Quelle camelote! Quelle fichue camelote! Remerciez le machinisme! Ce n'est pourtant pas difficile de fabriquer un bon fer à repasser! Non! On veut gagner des sous, rogner sur les dépenses! Et le consommateur n'a que le droit de se taire!

— Madame est servie », dit Frinne par l'entrebâillement de la porte.

Mon père se dressa :

« Je terminerai après dîner... Ou plutôt j'en achèterai un autre à Paris... Il ne sera certainement pas plus mauvais que celui-ci... Et au moins j'aurai soutenu l'industrie nationale! »

Ma tante ne répondit rien. Intérieurement, je lui reprochai ce silence qui pouvait compromettre la bonne humeur de mon père. Il devait être gêné sûrement, peut-être malheureux. Je lui pris la main en signe d'alliance. Mais il se dégagea. Il entonna :

Holà, de la taverne,
Qu'allez-vous nous servir?
Qu'allez-vous nous servir?

Ma tante sourit. Je me sentis soulagé.

Frinne, en tablier blanc et les cheveux tirés, déposa

sur la table une omelette, mordorée, dodue, tremblante et la crête hérissée de persil :

« Il fait si chaud... Quand il fait si chaud, le potage... non!... N'est-ce pas? » dit ma tante.

Et, comme mon père ne semblait pas avoir compris, elle insista :

« Le potage... c'est de l'eau... c'est comme de l'eau... On avale ça, houp!... Et c'est fini!... Et c'est tellement facile à faire!...

— Remarquable! Remarquable! s'exclama mon père, la bouche pleine et hochant la tête. Elle fond sous la langue! On a l'impression de mâcher de l'air parfumé! »

Et, se penchant par-dessus la table, il baisa la main de ma tante avec emportement. Ma tante, rouge de plaisir, jouait la modestie :

« Vous ne trouvez pas... Je veux dire, peut-être est-elle trop salée, un peu... ou trop poivrée...

— Elle est parfaite! Pour l'amour du Ciel, ne touchez pas à ce petit chef-d'œuvre! Vous gâteriez tout!

— Alors bien... Et heureusement!... Maintenant il y aura un lapin en gibelotte... Je ne sais pas s'il est réussi...

— Oh! gémit mon père, les paupières basses, vous voulez me faire éclater! »

Et il se dandinait sur sa chaise. Ma tante, définitivement subjuguée, répétait :

« Qu'il est drôle! Qu'il est drôle! Non... vraiment vous m'amusez, Guillaume! Moi je ne savais pas que vous aimiez ça?

— Si j'aime ça? C'est-à-dire qu'il n'y a pas de chagrin qu'un bon plat ne me fasse oublier! J'ai éduqué mon palais et j'en suis aussi fier que d'avoir éduqué mon intelligence! D'ailleurs l'un ne va pas sans l'autre! Tous les grands hommes aimaient manger et boire! Ah! voici le lapin en gibelotte! Approchez, jeune lapin en gibelotte! Ne craignez rien! Peste! *Firt class,* ma chère! Quel fumet! »

Sa fourchette et son couteau virevoltaient si gracieusement au bout de ses doigts, la viande se divisait avec une telle aisance sous le tranchant qui paraissait l'effleurer à peine, les morceaux qu'il portait à sa bouche étaient si exactement découpés et si coquettement coiffés d'un champignon ou d'un oignon rôti, que j'en oubliais de manger moi-même. Et ce travail, qui aurait absorbé l'attention de tout autre, ne l'empêchait pas de discourir avec une vélocité surprenante sur les sujets les plus dissemblables. Il parlait en mâchant, — la fourchette levée, les yeux écarquillés, — en se curant les dents du bout de la langue, — les sourcils noués par l'effort, — en se tapotant les lèvres du coin de sa serviette après chaque rasade. Ce qu'il disait, je ne cherchais pas à le comprendre, attentif seulement à la musique des phrases, au choix des mots, à l'étonnante mobilité de son visage. Aussi, le plus souvent, ne retenais-je d'un discours qu'une ou deux métaphores, le regard hautain qui flétrissait d'imaginaires contradicteurs et le tressautement précipité de ses joues à la chute d'une période. Cela suffisait à nourrir mon admiration. Mais, chaque fois que par un dur effort, je me détachais de la mélodie et des attitudes pour pénétrer le sens de ses paroles, je demeurais stupéfait de la diversité et de la sûreté de son savoir. Sa compétence s'étendait à tous les domaines. Il discutait avec une verve égale des sciences, des arts, de la politique, du commerce et de la religion. Les questions les plus ardues, exposées par lui, m'attiraient. Bien mieux, il les tranchait avec une telle assurance qu'il me rangeait aussitôt de son côté, et que je me demandais comment les grands hommes, dont il citait le nom parmi ceux de ses adversaires, avaient pu ne pas se laisser convaincre par d'aussi robustes arguments. Ma tante, les yeux ronds et pâles derrière ses lunettes, la bouche entrouverte sur une langue immobile, paraissait partager mon opinion. Elle non plus ne mangeait pas. Elle écoutait. Et je crois bien que c'était la première fois de sa vie.

Au dessert, mon père pela sa pêche avec la même aisance, les coudes au corps et les mains perpendiculaires aux poignets, et la déposa dans son assiette. Ensuite, il dit :

« Mes chers amis, en Amérique on traite les questions importantes au dessert. Or, pour nous, la question importante c'est l'avenir. Comment organiserons-nous notre avenir? D'où tirerons-nous les ressources indispensables à notre existence? Quelle sera la nature de notre activité? Tels sont les problèmes qui se posent et que, je m'empresse de vous le dire, j'ai résolus pour vous. Voici : en ce moment, j'ai une affaire en chantier, une affaire en laquelle j'ai la plus entière confiance... »

Il mordit sa pêche, tendit le cou afin que le jus ne ruisselât pas sur son gilet, mâcha lentement :

« Vous n'ignorez pas que le yaourt est une sorte de lait caillé rafraîchissant, réconfortant et qui, d'après les opinions éclairées de certains médecins, prolonge la vie. Des statistiques que j'ai sur moi (il frappa la poche droite de son veston), il ressort que depuis quelques années la courbe de la consommation du yaourt en France est nettement ascendante. *Ergo,* le moment est venu de mettre la main à la pâte. La Fortune nous jette une bouée de sauvetage, à nous de savoir nous y cramponner. J'ai derrière moi des capitalistes importants qui feront les avances nécessaires au lancement de l'entreprise et je viens de prendre un brevet pour une nouvelle formule de fabrication. Tout est prêt. Nous n'attendons que les commandes! »

Il massait ses paumes l'une contre l'autre :

« ... Et je vous garantis qu'elles ne manqueront pas. Hôtels, restaurants, magasins, lycées, casernes même... Les débouchés, comme vous le voyez, sont multiples. Ils seront permanents aussi, puisque le yaourt est un aliment de consommation courante et de prix modique. Soit un nombre *X* de pots vendus... »

Il traça un *X* sur la nappe, avec la pointe de son couteau :

« Le bénéfice net sur chaque pièce... »

Il s'arrêta, écarquilla les yeux, comme frappé par une idée qu'il avait oublié d'exposer :

« Et puis, quelle merveilleuse industrie! poursuivit-il. Epier au fond des récipients où tremble un lait jaune, opaque, parfumé, le lent progrès de son caillement, comme quelque alchimiste suivait, le cœur battant, l'imperceptible mutation de la pierre philosophale! Savoir que ce liquide savoureux ira réconforter, régénérer, je dis bien régénérer, des milliers et des milliers d'estomacs français! Savoir qu'on travaille pour le bien-être d'un peuple en même temps que pour l'accroissement de son pécule, qu'on est aussi bon citoyen qu'habile commerçant, ça va, mes chers amis... »

Il paraissait véritablement ému. Son regard courait de mon visage à celui de ma tante. Sa voix chevrotait. Il éleva les mains au-dessus de sa tête, comme pour marquer la hauteur du sentiment qui l'avait guidé dans le choix de cette entreprise, dit encore : « ça, ça », et se tut.

Nous n'osions pas rompre ce silence; il avait la majesté triomphale des silences qui suivent les coups de canon tirés aux jours de fête. Ma tante pliait et dépliait sa serviette, ce qui était chez elle le signe d'une exceptionnelle nervosité. Je roulais des pelures de fruit du bout de mon index. Mes oreilles cuisaient. Un enthousiasme désordonné activait les battements de mon cœur. J'avais l'impression que quelque chose de colossal et de décisif venait de s'accomplir à quoi je n'étais pas tout à fait étranger. Mon père reprit :

« Comme je crois en l'avenir de cette affaire, j'aimerais que le petit étudiât sa chimie d'une façon spécialement sérieuse, afin de pouvoir assumer plus tard la charge de directeur du laboratoire des recherches. Pour vous, chère Angèle, je pense que vous pourriez ouvrir une industrie connexe de petits biscuits salés ou sucrés que nous vendrions dans des sachets fixés aux pots de yaourt, ou que nous distribuerions à titre de primes à nos clients. »

Ma tante voulut le remercier.

« Laissez, laissez! dit-il. La famille a toujours été sacrée pour moi! Et maintenant, Angèle, et toi, mon fils, buvons à la réussite de cette entreprise qui ne peut manquer de réussir! Ce que je vous dis, ce ne sont pas des paroles en l'air! Les millions n'attendent que notre bon vouloir pour emplir nos poches à crever! *Team, team, team! Ray, ray, ray, Hoo-ray!* »

D'un bond il franchit le pouf qui le séparait de ma tante, l'embrassa sur les deux joues, me serra contre lui à m'étouffer et déclara :

« Maintenant, je vais prendre mon bain. »

Il nous laissa. Nous demeurâmes l'un en face de l'autre, ma tante et moi, devant la table à demi desservie, les serviettes chiffonnées, les chaises repoussées, stupéfaits de cette atmosphère d'espérance et de cordialité qu'il avait suscitée en quelques phrases. Eprouvait-elle comme moi la fragilité précieuse du sentiment qui nous remuait, et craignait-elle comme moi de le dissiper par des propos maladroits? Je ne sais. Mais elle ne me parla pas de mon père. Elle dit seulement :

« Va te coucher, Jean... Onze heures... c'est tard... »

Et elle posa sa main molle sur mon front :

« Va! »

Longtemps je ne pus m'endormir. De mon lit, j'entendais la voix de mon père qui chantait dans la baignoire. La chanson, d'un rythme martial, était ponctuée par les clapotis de l'eau et les détonations du chauffe-bain. Ma tante vint frapper à la porte :

« Guillaume... Il est onze heures... Alors ceux qui

sont au-dessous... Il faut faire attention... Tout de même ils pourraient se plaindre... »

Mon père se tut. Mais deux minutes ne s'étaient pas écoulées qu'il reprenait en sourdine, puis à toute gorge, l'hymne interrompu. Je fermai les yeux avec délices. Un chaud bonheur rayonnait au centre de moi :

« Merci, merci », répétais-je, avec enivrement.

III

Le lendemain. Frinne ne vint pas me chercher à la sortie du lycée. Je devinai dans cette dérogation aux règles bien établies le signe précurseur des bouleversements plus graves qui m'attendaient. Et les événements confirmèrent mes prévisions. Lorsque je franchis le seuil du salon, je crus m'être trompé d'étage et que des étrangers l'habitaient. Au centre, des malles ouvertes débordaient de vêtements et de paperasses. Des chemises gisaient les bras en croix, des caleçons laissaient pendre leurs longues jambes flasques sur le dossier du fauteuil, des chapeaux coiffaient les cactus, des gants tendaient leurs doigts boursouflés hors des chaussures dépareillées, des bretelles étiraient sur les coussins leurs triples tentacules fourchus, des mouchoirs carrelaient le sol de taches claires, des cravates serpentaient un peu partout. Et de cette garde-robe hâtivement déballée montait un violent parfum d'eau de lavande, de cuir et de tabac mouillé. Ma tante s'avança vers moi, posant les pieds entre les îlots de linge Elle grondait :

« Parfait! Ton père est parti le matin!... Il n'est pas rentré déjeuner!... Et tout est resté!... Il aurait pu ranger!.... Penses-tu, seulement!... Moi, je n'ose rien toucher!... Et tout comme ça!... Que faire avec lui!... »

Soudain, la porte d'entrée claqua.

« C'est moi! » cria mon père.

Il était rouge, le veston déboutonné, la cravate rejetée par le vent sur l'épaule, et les tickets de métro qu'il avait glissés sous sa bague figuraient de petites ailes roses sur ses doigts. Il portait une liasse de journaux sous l'aisselle. Sans prendre la peine de nous embrasser, il dit :

« Vous permettez! »

Et il ouvrit les journaux, l'un après l'autre, en les faisant danser un moment à bout de bras pour défaire les plis. Il lisait rapidement, bougeant la tête à mesure que son regard se déplaçait le long des lignes. Parfois il sortait un crayon bleu de sa poche, encadrait un article, ou traçait un point d'interrogation dans la marge. Je remarquai que certaines feuilles étaient anglaises, d'autres allemandes, italiennes...

« Rien de bien intéressant », conclut-il.

Et, aussitôt, se tournant vers nous, il nous parla de sa journée. Il avait revu ses amis et « pris contact » avec le milieu des affaires. La stagnation du commerce et de l'industrie ne l'effrayait pas. Il estimait que les périodes d'accalmie économique étaient propices à la créations d'entreprises solides. Et il s'était rarement trompé dans ses pronostics. Pour l'instant, il était fourbu. Or une santé de fer est indispensable à celui qui veut affronter les singulières fatigues de la vie financière. C'est pourquoi il avait accepté l'offre d'un ami qui lui cédait son pavillon de chasse pour deux semaines. Il comptait nous emmener avec lui, d'ailleurs, car, si le pavillon ne comprenait qu'une chambre et un grenier, ces deux pièces étaient spacieuses, et un simple jeu de paravents permettrait de respecter l'élémentaire décence à laquelle il tenait.

Ma tante, qui n'avait jamais quitté son appartement, le regardait avec effroi. Elle craignait cet homme terrible et séduisant qui bouleversait son salon au point qu'elle se sentait étrangère parmi ses propres meubles, et se proposait de bouleverser sa vie. Elle disait :

« Impossible... Impossible... » sans savoir pourquoi ce voyage était impossible, et s'irritait de ne pouvoir justifier son obstination. Enfin elle demanda :

« Et Frinne?...

— Nous l'emmènerons.

— Et le petit?... Les études... Les vacances ne sont que dans quinze jours!...

— Eh bien, la belle affaire! Je vous jure que deux semaines de grand air lui profiteront mieux que deux semaines de classe étouffante et de pédagogie rétrograde! »

Il lui prit les mains.

« C'est à Samois, près de Fontainebleau. Figurez-vous d'interminables prairies d'un vert acide, frémissant, vivant, piquées de bicoques blanches comme des terrines de lait... »

Sa voix coulait avec une douceur facile sur ses lèvres. On avait envie de fermer les yeux pour mieux l'entendre et d'oublier le sens des mots qu'il prononçait.

« Au loin les clochettes des vaches, le sifflet d'un train, l'aboi d'un chien, et, tout contre vous, le silence... Et des fleurs, des fleurs!... Vous aimez les fleurs, Angèle? Des fleurs, des fleurs!... »

IV

Ma tante se tenait au centre de la pièce, son chapeau de paille vernie sous le bras, le visage tuméfié par la chaleur, la fatigue et le dépit :

« Ça! Si j'avais su ça. Mais jamais je ne serais venue! Et pour rien au monde! »

Et son regard filait des murs pisseux, marbrés d'humides traînées de rouille, au plancher matelassé de poussière, au lit de fer dont quelques journaux dépliés protégeaient la courtepointe et dont les montants écailleux portaient à leur sommet quatre vis tordues et noires, piètres vestiges des boules de cuivre qui les coiffaient jadis avec orgueil. Dans un coin, près de la fenêtre, une table, courte sur pattes, portait la cuvette et le seau d'émail bleu pommelé de blanc. Il y avait aussi une armoire ventrue, trois autres lits pliés et accotés à la paroi, une chaise en rotin et un interminable paravent de satin vieux rose, frangé de rognures de dentelles, avec un carquois et des arcs brodés au centre de chaque panneau. Une odeur acide de fruits gâtés et d'eau pourrie serrait la gorge. Frinne dit :

« Il y aura du travail!

— Une crapaudière! Une crapaudière! » renchérit ma tante:

A ce moment, mon père, qui était resté sur la route à parlementer avec le facteur, entra. Il portait son veston sur le bras. Son large cou rose et rond sortait de l'encolure de la chemise, et les extrémités de son faux col pointaient hors de sa poche comme les oreilles d'un lapin. D'un coup d'œil, il jugea le décor :

« Qu'en pensez-vous. Angèle?

— J'en pense! Vous voulez nous faire vivre comme des sauvages!... Quasiment comme! » dit-elle, le menton tremblant et des éclairs dans ses lunettes.

Il jeta son veston sur la chaise.

« Vous avez trouvé le mot : comme des sauvages! Je suis heureux que vous vous plaisiez ici! Quelle petite merveille que cette bicoque! Tout y est rafistolé, crasseux, primitif! Eau, gaz, électricité? Connais pas! Un toit, quatre murs! Et zou! Débrouillez-vous avec les dix doigts que le bon Dieu vous a donnés! Travaillez dans la bonne pâte de la nature, sans gants et sans pincettes! Et l'être ingénu, fort et beau qui était mort en vous renaîtra de ses cendres! »

Il poussa les contrevents de la fenêtre :

« Et telle sera votre récompense! »

Le jardin nous apparut, rectangle de verdure folle que bornait un lacis de fils de fer barbelés. Au centre était la pompe dont le canon dégouttait d'une barbiche roussâtre de scolopendres, plus loin les robustes glaïeuls, hauts sur tige et que le faible vent ne parvenait pas à bercer, plus loin encore les champs, tondus net, et, tout au bord du ciel, la lisière bleue, reculée et vibrante, de la forêt. Ma tante secoua la tête et ses joues frémirent comme une gélatine :

« Moi, je ne veux pas rester!... Pourquoi?... C'est sale!... Une crapaudière!... Il n'y a rien pour faire la cuisine!... Et pour se laver?... Tout est inconfortable!... »

Le visage de mon père devint grave :

« Angèle! Si vous ne voulez pas rester pour vous-même, restez pour le petit, restez pour moi. Il est exténué par la vie du lycée, comme je le suis par la vie des affaires. Nos organismes usés prématurément réclament l'air et la lumière que seul ce coin de paradis est à même de nous donner. Quant à l'inconfort dont vous vous plaignez, il n'est qu'apparent. Allons nous promener. En notre absence votre servante transformera ce modeste asile en « palais de la ménagère ». Vous finirez par chérir ces lieux que vous désirez quitter. Vous me serez reconnaissante de ma prévoyance comme je vous serai reconnaissant de votre bonne grâce. »

Il parla longtemps au nom de la morale et de l'hygiène. Il fut tantôt badin, tantôt larmoyant, tantôt révolté, tantôt sublime. Il invoqua la mémoire de ma mère et voulut à tout prix avoir l'avis de Frinne sur la question. A la fin, ma tante, plus fatiguée que convaincue, céda.

« Et maintenant, à nous les vastes horizons! » décida mon père.

Il escalada le rebord de la fenêtre, sauta dans le jardin. Il courut à la pompe. Il pesa des deux paumes sur l'interminable levier, tendit le crâne au jet d'eau hoquetant et glacé que crachait la gargouille. En même temps, il secouait la tête et les gouttes volaient autour de lui comme les écailles d'un poisson qu'on gratte. Puis il déboutonna sa chemise jusqu'au ventre et s'appliqua les mains à plat sur la poitrine :

« Brr! Elle est bonne! Partez sans moi! Je vous rejoins! »

Dix minutes ne s'étaient pas écoulées que nous marchions côte à côte, par la route crayeuse, dévorée de soleil et dont, à chaque pas, la poussière nous montait en nuage jusqu'aux genoux. Il avançait avec un puissant bercement des épaules, les bras ballants, la démarche lourde et franche. Il regardait un point dans le ciel, sans cligner. Sa chemise largement échancrée flottait sur son torse. Mais il aspirait l'air, et un bloc de muscles carrés montait doucement, affleurait, tendait, boursouflait l'étoffe à la crever et reculait avec la même lenteur pendant l'expiration. Une force paisible, une cohérence réfléchie guidaient ses moindres gestes. Auprès de lui, je me sentais en sûreté. Je désirais même qu'une tornade s'abattît sur nous, ou que nous fussions attaqués par une troupe d'ennemis, afin qu'il me protégeât. Avait-il deviné mon admiration? Il se baissa, ramassa un caillou, le lança d'une seule détente, avec un virement du buste sur les hanches. Je suivis l'ascension du projectile jusqu'à n'avoir plus que du soleil et du bleu dans les yeux. J'assurai que je l'avais entendu siffler et que l'air m'avait reflué aux joues. Il rit, le visage tourné vers l'horizon :

« C'est bien possible! C'est bien possible! »

Très loin, des feuillages froissés nous avertirent de la chute. Ma tante, fâchée de s'être laissée attendrir, grogna :

« Assez, Guillaume! Vraiment, on dirait... Quel âge avez-vous? Et si vous blessiez quelqu'un!

— Il n'y a pas un chat sur la route », répondis-je avec mauvaise humeur.

Et j'allais le prier de recommencer son exploit, lorsqu'il s'arrêta devant un paysan qui sarclait son champ. Il prit une motte de terre dans sa main. Les doigts refermés sur la masse grise l'effritèrent. Il dit avec l'assurance d'un connaisseur :

« Fichu terrain! Qu'est-ce que ça doit bouffer comme engrais! »

Le paysan tourna vers nous sa face cuivrée et barbue jusqu'aux pommettes. Il chuchota une réponse que nous ne comprîmes pas. Pourtant, mon père dit :

« Oui... oui... bien sûr! »

Nous nous éloignâmes, accompagnés par les regards méfiants de l'homme. Mon père exultait. Plusieurs fois il se retourna pour lui faire un salut amical de la main et lui crier des « Ohé! ohé! » auxquels l'autre ne répondit pas.

« Sacrés cocos! Voilà comme je les aime! dit-il. Plantés au centre de leur lopin de terre, c'est la sève du sol qui monte à travers leurs membres et qui perle en rosée à leur front! Ils sont la force d'une nation comme la nôtre! Saluons-les! »

Nous avions gagné les berges de la Seine. Ma tante s'assit sur son pliant. Mon père et moi nous nous étendîmes à plat ventre dans l'herbe. Sur nos têtes tremblaient les nappes aériennes des feuillages, diluées de transparences vertes et trouées de rais lumineux. En contrebas, l'eau filait dans un frais murmure. La rive opposée était plate, avec des tons usés de vieille tapisserie. Elle portait des villas aux murs peints, souillées de lierre, cerclées d'allées souples, flanquées de parterres fleuris, et, dominant la crête ronde et spongieuse des arbres, un clocher.

Mon père tira de sa poche un crayon, un calepin. Puis, la tête légèrement penchée, les yeux plissés pour restreindre le champ de la vision, il dessina. Je regardai par-dessus son épaule. Je ne reconnus pas le coin de paysage qu'il désirait fixer, et je ne cherchai pas à le reconnaître, d'ailleurs, tant ses gestes me séduisaient par eux-mêmes. Cela semblait une mystérieuse incantation. Il soulevait lentement la main droite, les doigts allongés, les ongles sur la mine, la balançait dans l'air avec une grâce nonchalante et suivant les contours d'un modèle que je ne voyais pas, et, tout à coup, frôlait le papier d'une imperceptible caresse. Aussitôt, il rejetait le buste en arrière, comme pour esquiver une gifle, disait :

« Ah! cette fois je crois que je l'ai! »

Et, ensuite, courbé sur le feuillet, repassait la ligne tracée, la salissait de mille raccords inutiles, l'échevelait avec une minutie laborieuse.

Je demandai, à tout hasard :

« C'est le clocher?

— Oui, c'est le clocher », dit-il, avec une satisfaction évidente.

Lorsque la page fut un rectangle grisâtre veiné de grêles courbes et maculé d'empreintes digitales, il donna deux ou trois coups de gomme pour éclaircir, signa, data et referma le calepin.

« Dans dix minutes je vais le rouvrir, dit-il, et les

erreurs que j'ai pu commettre me sauteront aux yeux. C'est une ficelle de métier. Je te la donne pour ce qu'elle vaut! »

Ma tante dormait, la nuque appuyée au tronc d'un arbre, les mains ouvertes sur les genoux. Un filet de sueur descendait de son front sur son nez.

Il poursuivit :

« Vois-tu, il est une équation que je me dois te t'apprendre : artiste de talent = bienfaiteur de l'humanité = bénévole professeur de bonheur = guérisseur diplômé du Bon Dieu! Tu passes mille fois par une route! Tu regardes les arbres, les maisons... Tu penses : « On m'attend. Il faut que je me hâte... » et d'autres platitudes! Arrive un de ces sublimes bonshommes, le chevalet sous le bras. Il sort une toile. Et vlan! vlan! Il te fout là-dessus du vert, du rouge, du bleu, que tu n'y comprends goutte d'abord! Et puis tu te rapproches, tu regardes, tu dis, comme tu me l'as dit tout à l'heure : « Mais, saperlipopette, c'est le clo« cher! » Et tu t'extasies devant la beauté de ce clocher que tu n'avais pas discernée! Et tu comprends que tu as été l'aveugle dans l'affaire, et que ce bougre aux doigts crasseux et à la pipe malodorante est une manière de sourcier, puisque de la pointe de son pinceau il te désigne les sources de jouissance artistique, comme le sourcier te désigne de son bâton fourchu les sources d'eau fraîche cachées sous la terre, une manière de Bon Dieu puisqu'il recrée le monde! »

Je l'écoutais avec ivresse. Il parlait doucement parce qu'il craignait de réveiller ma tante. Sa voix étouffée nuançait de mystère les moindres propos. Elle me révélait d'étranges vérités et m'en laissait pressentir d'autres plus étranges encore. Elle me liait à mon père dans une inquiétante connaissance du monde. Elle m'initiait aux arcanes d'une religion dont il était le grand prêtre. Et je tremblais de ce noviciat pour lequel je n'étais pas préparé.

« Je suis heureux de voir que tu comprends la chose artistique, dit-il encore. Je ferai de toi un artiste. Plus tard, tu m'en sauras gré. Par exemple, il faudra bûcher ferme. Dès notre retour à Paris, je m'occuperai de ton éducation. Je t'enseignerai le maniement de l'œil aussi bien que du pinceau. Je te ficherai de la couleur, de la forme et de la lumière plein le crâne. Et tu parleras la langue universelle du pinceau comme je la parle, moi! »

J'essayai d'évoquer la carrière studieuse et pure qu'il me promettait : le travail quotidien sous une surveillance affectueuse, les essais, les progrès, la gloire peut-être. Certainement j'étais indigne de son choix. Au lycée Faraday, les professeurs exerçaient leur verve sur mes dessins : « Je ne vous souhaite pas de boire votre café dans une tasse aussi biscornue... » Ce n'était qu'une opinion, bien sûr! Mais je me devais de l'en prévenir. Et cependant je songeais que s'il avait construit sur moi d'aussi précises espérances c'est qu'il avait su discerner à travers ma nullité apparente un génie latent que moi-même ne soupçonnais pas. C'est à ce moment qu'il ajouta, comme ayant deviné mes scrupules :

« *Nota bene :* tu ferais bien d'oublier les observations que des pions de quinzième zone ont pu te faire au lycée! Je suis sûr qu'à nous deux nous ferons des choses formidables! »

A nous deux! Cette fois je ne pouvais plus douter! Il daignait m'associer à lui. Je n'étais plus pour lui l'enfant dont on raconte aux amis les questions absurdes et les involontaires bons mots. J'avais conquis une place à ses côtés. Tant de mansuétude me pénétrait d'une tendresse larmoyante. Je voulus le remercier. Mes lèvres tremblaient. Je jetai les bras autour de son cou. Il me repoussa, doucement. Il regarda ma tante qui dormait toujours, me cligna de l'œil et sourit. Je souris aussi. Et je sentis que ce regard et ce sourire nous avaient rapprochés, et que nos moindres gestes nous rapprocheraient désormais jusqu'à ce que nous ne fissions plus qu'un. Alors, je serais comme lui, pensai-je, le plus beau, le plus intelligent et le meilleur des hommes.

Le ciel avait des pâleurs fatiguées sur les bords. La lumière la plus jaune et la plus fine s'était caillée au sommet des feuillages. Il n'y en avait plus par flaques joyeuses au pied des arbres, où l'herbe se faisait froide. Le fleuve était comme une coulée d'étain. Un train siffla derrière les villas pamprées de rougeurs. Il y eut de lâches fumées qui furent lentes à mourir dans l'air. Une péniche passa que halaient des chevaux. Sur le ponton des chiens aboyaient, sautaient. Mon père tourna vers moi son visage d'ombre. Les cheveux clairs bouffaient sur les tempes. La bouche ne riait pas.

« Quelle autre joie? » dit-il.

Ma tante ouvrit les yeux.

« Il est tard? Non... Quelle heure? »

Et le charme fut rompu.

« Il y a des bêtes!... J'ai horreur des bêtes qui font « crr » quand on les écrase!... Il faut rentrer... Et Frinne? Je me demande comment?... Et si elle a eu le temps de s'en tirer?... »

Elle secouait sa robe, toussotait, se frottait les ailes du nez avec le tampon d'ouate qui ne la quittait pas. Nous revînmes par le village. Mon père acheta du vin, du cidre et un morceau de glace qu'il porta à bout de bras et en sautant drôlement pour éviter les gouttes qui en tombaient. Je remarquai qu'il parlait aux marchands avec l'excessive jovialité d'un grand seigneur qui cherche à se mettre au niveau de ses interlocuteurs roturiers. Il feignait de s'intéresser à leurs gains et de tenir pour certaines leurs prévisions météorologiques. Il excellait à créer en quelques mots ces rapports de familiarité bienveillante, d'intime aisance, d'insouciance heureuse qui me charmaient. Il semblait mettre un point d'honneur à ne quitter un homme, quelle que fût sa condition sociale et la fréquence de leurs relations, qu'après s'en être fait un ami.

•

On avait dressé la table dans le jardin. Il faisait nuit. Des moustiques, jaillis de l'ombre, fonçaient contre le globe éblouissant de la lampe à pétrole, vibraient un court instant et tombaient, grillés, sur la nappe. Mon père les repoussait d'une chiquenaude. Il disait :

« En Chine, ils adorent les moustiques grillés en salade! Vous n'en voulez pas, Angèle?

— Taisez-vous, Guillaume! Voilà, comme exprès!... Vous savez bien que je n'aime pas quand on parle saletés!... Alors?

— Ah! Je croyais... je croyais... »

Et il souriait pour moi seul, le regard au coin de l'œil, et les lèvres à peine tirées. Puis, comme Frinne tardait à servir, il se cala contre le dossier de la chaise et tapa son assiette avec le manche de son couteau. Il cria, imitant l'accent traînard et le patois des paysans :

« Eucout' eun miett' ma fille! Faut point m'faire languir d'vant el'manger!

— Voilà, voilà », répondait Frinne.

Elle vint, jaune sous ses cheveux rouges. Elle déposa le plat devant ma tante. Puis, elle tendit à mon père des journaux qu'elle avait achetés pour lui à Samois. Il les prit, les retourna dans tous les sens, les tint longtemps la tête en bas en roulant des prunelles étonnées et les jeta par terre :

« Qué qu'tu veux qu'j'en fassions ed'tes journiaux? J'sais-t-y lire seulement? D'mand'moi éd'faire eun' meule ou ed'traire eun'vache, j't'y dirai : « C'est vu. »

Frinne hoquetait de joie dans son tablier.

Ma tante murmurait avec des moues amusées de grande sœur :

« Quel comédien! Quel comédien! »

Et, pour l'inviter à poursuivre la parodie, elle ajouta :

« Vous devriez lire... Il y a peut-être des choses... C'est peut-être intéressant... »

Mais mon père quitta aussitôt le ton de la plaisanterie :

« Eh! peu m'importe la politique et l'économie! Pourvu que le blé lève et que les oiseaux chantent, je suis heureux! Je bois à la vie de la terre! »

Il se leva. Il vida son verre à grands va-et-vient de pomme d'Adam. Il le reposa rudement :

« Ma foué! Pour être aimable elle est aimable! dit-il, reprenant la voix campagnarde que nous aimions. On voit ben qu'c'est des pomm' ed' nos pommiers et des bouteilles éd'not' célier! »

Le repas s'acheva gaiement. Mon père réclamait des rations doubles, se fâchait drôlement lorsqu'on lui donnait de « petits morceaux », appelait le vin « hydromel », refusait de rincer les raisins avant de les manger et jurait qu'il ne remettrait jamais les pieds à Paris. Plus tard, il s'étendit sur une chaise longue et chantonna :

Alla staggion dei fiori
E de novelli amori...

La lune était haute, ronde et pâle dans le ciel. Et le ciel entier semblait n'être qu'une irradiation lumineuse, qu'un suintement laiteux de sa pâleur. A la lisière du bois, un étang miroitait, glacé d'argent clair. Il y avait encore de l'argent clair au luisant de l'herbe, aux tuiles des toits, aux cailloux de la route, dans une vitre. Le vent bougeait dans les feuillages. Les ténèbres bruissaient de mille petites vies voletantes, sautillantes, rampantes. Un crapaud fila deux notes flûtées. Une chauve-souris tournait sur nos têtes. Ma tante se coiffa d'un journal roulé en cornet.

« Ha! ha! ha! » rit mon père.

Il ajouta :

« Ecoute l'écho! »

Et, loin, j'entendis une voix qui ressemblait à sa voix, mais comme épuisée, et qui détachait les éclats de rire avec une indifférence mécanique :

« Ha... ha... ha... »

Ma tante dit :

« Il fait frais. Je rentre me coucher. Tout est-il préparé, Frinne? »

Et soudain, se rappelant l'exiguïté du pavillon :

« Aïe... Et comment allons-nous dormir?

— M. Jean pourrait dormir avec monsieur.

— Halte-là! tonna mon père. Dormir à l'intérieur par une nuit pareille! C'est criminel, et même tout à fait malsain! Faites ce que vous voulez de vos misérables carcasses de citadins! Roulez-vous dans quatre courtepointes, terrez-vous sous cinq édredons, fermez les portes, les fenêtres et allumez un feu de bois si vous le désirez! moi, je couche à la belle étoile! »

Ma tante eut beau le menacer de morsures venimeuses, de maladies, de rapt, il riait à l'énumération de ces dangers :

« Le grand air n'a jamais fait de mal à personne! »

Nous l'aidâmes à porter son lit au centre du jardin. Il refusa la courtepointe que ma tante lui proposait, et se couvrit seulement de son pardessus. Frinne avait inséré les extrémités des draps entre le matelas et le sommier, de façon à réaliser l'enveloppe hermétique et douillette où les frileux aiment à se glisser. Mon père bouleversa cette savante nidification. Il dit :

« Vous voulez que j'étouffe dans ce sac! J'ai dormi dans de la neige au Canada et vous craignez pour moi la rosée! Vous me faites rire! »

D'une claque, il écrasa un moustique sur sa poitrine.

« Comme vous voudrez, Guillaume! »

Pour moi, je le regardais sans étonnement : venant de lui, nul trait d'héroïsme ne me surprenait plus. D'ailleurs, en une seule journée, je l'avais admiré pour sa gaieté, son adresse, sa vigueur, son talent; c'était plus que je n'en pouvais supporter.

Il nous poussa doucement vers la maison.

« Allons! allons! ce n'est rien », dit-il.

Et il s'éloigna sans se retourner. Ainsi le vaillant guerrier affecte une insouciance virile pour apaiser les cœurs inquiets qu'il laisse derrière lui.

V

TRÈS tôt, je l'entendis éternuer et cracher derrière la porte. Il appela furieusement :

« Angèle! Angèle! »

Ma tante dormait. Je dus la réveiller. Elle m'ordonna de me tourner contre le mur pendant qu'elle passait un peignoir. Elle sortit. Je regardai ma montre : cinq heures. Je me levai, je sortis à mon tour. Il faisait froid. Sous le ciel gris, le jardin luisait de rosée. Mon père était debout auprès de son lit, maigre et long dans son pyjama jaune à pois blancs. Il avait le visage exsangue, le nez violet. Il se tenait le cou des deux mains, comme un condamné qu'on vient de dépendre et qui reprend vie. Il regardait devant lui. Il dit avec irritation :

« J'ai cru que vous ne viendriez jamais!

— Vous n'êtes pas bien? » demanda ma tante.

Il se frappa la poitrine des deux poings, en toussant rauquement :

« Jugez par vous-même!

— Je vous avais prévenu!

— Vous m'avez prévenu! Vous m'avez prévenu! Pouvais-je savoir que vos draps étaient plus minces que du papier à cigarettes? J'ai dormi dans de la neige au Canada! Seulement les draps étaient d'une autre qualité! Ils tenaient chaud, ceux-là vous glacent!

— Eh! alors... Ce sont les draps maintenant... C'est leur faute... »

Mon père se promenait de long en large, voûté, les bras battant les cuisses. Parfois, il s'arrêtait, nous dévisageait avec une expression de détresse fâchée, reprenait sa marche. Il psalmodiait :

« Voilà... parfait... malade... tombe à pic... crevé... s'en foutent pas mal...

— Ce n'est rien... Une petite angine, dit ma tante.

— Non... C'est autre chose! Plus grave, sûrement! Je sens dans ma poitrine un raclement! J'ai du mal à avaler ma salive! Il faudrait voir un docteur.

— Et voilà encore! Pourquoi un docteur? J'ai du bleu de méthylène! Je badigeonnerai...

— Ce n'est pas risqué, sans ordonnance? »

Ma tante nous laissa, sans prendre la peine de répondre. Je restai seul avec mon père. Il ne parlait pas.

Cette maladie l'avait si brusquement dépouillé de son joyeux mystère que j'en fus gêné. Il m'en coûtait de le voir descendu au niveau des autres, accessible, vulnérable, terrestre, autant que les autres. Je me sentis au bord d'une pitoyable révélation. Mais je me ressaisis. Sans doute n'était-ce là qu'une défaillance passagère. Il rasait le sol. Il s'élèverait bientôt. Il rétablirait entre nous l'infinie distance qui me le faisait aimer.

Ma tante revint, portant un flacon de bleu de méthylène et une aiguille à tricoter, dont une poupée de coton encapuchonnait la pointe. Mon père s'assit sur le bord du lit et renversa la tête. Ma tante tourna longtemps autour de lui, cherchant à écarter toute ombre de son visage. Ensuite, elle dit avec une joie mal contenue :

« Maintenant, ça commence! »

Mon père ouvrit la bouche, tira la langue. Elle se pencha sur lui, les bras haussés comme les ailes d'un oiseau prêt à prendre son vol. Elle lui saisit le menton entre le pouce et l'index et mania sa mâchoire de droite à gauche et de bas en haut, pour découvrir la plus grande profondeur possible du larynx.

Elle marmonnait :

« Oui... oui... oui... je vois... je vois... » pendant que mon père, les yeux exorbités, la regardait méchamment. Ensuite, avec une expression de simplicité importante, elle trempa le pinceau improvisé dans la fiole, le retira, le tint quelques instants en l'air comme pour jouir de la brillante couleur bleue qu'arborait le tampon, et l'enfonça brusquement dans le gosier qui s'offrait à elle. Mon père sursauta. Elle pesa d'une main sur son épaule pour lui recommander le calme. Roulant l'aiguille sur elle-même, la tirant, l'abaissant, la secouant avec des raffinements savants, elle ramonait les muqueuses irritées. Mon père était cramoisi et visiblement perdait le souffle. Cette scène grotesque m'exaspérait :

« Assez, assez, dis-je.

— Mais non... Il faut que tous les points blancs, tous s'en aillent... »

Et, comme flattée de l'intérêt que je portais à l'opération, elle redoubla d'ardeur. Parfois elle s'arrêtait, inspectait l'intérieur de la gorge d'un sévère coup d'œil, changeait l'aiguille de main et reprenait son labeur avec des hochements de tête satisfaits. Enfin elle se redressa, décoiffa l'aiguille de son bout d'ouate et demanda :

« Vous vous sentez mieux? »

Mon père avait les commissures des lèvres et les dents teintes en bleu. Des gouttes de sueur étaient prises entre les poils de sa barbe de deux jours. Il haleta :

« On déjeune bientôt? »

Mais, une fois à table, il refusa de manger. Assis,

les coudes aux cuisses, l'œil rond, il se léchait le pourtour de la bouche avec de furieuses grimaces. Ma tante ne semblait pas le voir. Elle soufflait sur la vapeur blonde du café, remuait le sucre, beurrait les tartines avec un détachement suave. Son regard ne quittait pas le jeu de ses petites mains courtes et grasses. Elle souriait. Sans doute avait-elle oublié ses déceptions de la veille. Seule la minute présente importait, douce à vivre :

« Vous ne dites rien, Guillaume! Pourtant comme tout est beau! Le ciel, les arbres! Et quel silence! Et le soleil! Hier, j'étais fatiguée... Alors, rien, rien... Mais aujourd'hui! Ah! vous avez raison, Guillaume! La campagne! La campagne! N'est-ce pas? »

Et, derrière ses fortes lunettes, les paupières papillotèrent d'aise. Il leva sur elle un regard chargé de lassitude et de mépris :

« Tout ça c'est très joli! Mais moi je sais que je perd mon temps parmi les fleufleurs! Il n'y a pas que la poésie en ce bas monde! Il faut rentrer.

— Vous voulez? Paris... déjà?

— La roue de la fortune ne s'arrêtera pas de tourner pour m'attendre. *Business is business.* Si je ne mets pas sur pied l'affaire dont je vous ai parlé l'autre jour, crac! je perds le crédit. Et perdre le crédit pour un industriel équivaut à perdre les deux bras pour un ouvrier. Eh oui! C'est notre lot sur terre! Travaille!

Travaille comme un chien! Jusqu'au jour, proche peut-être, où le grand repos...

— Ne dites pas!... Voulez-vous vous taire!... Tss! Tss!... »

Et elle fit avec la main le geste de chasser une mouche. Mais aussitôt, les yeux plissés dans une moue de chatte qu'on caresse sous le menton, elle conclut :

« Regardez!... Le beurre est solide encore!... Il ne fait pas chaud!... C'est merveilleux!... »

Mon père ramassait les miettes en les écrasant du doigt. Son visage avait maigri, vieilli en quelques heures :

« Ecoutez, Angèle, dit-il. L'autre jour, je vous ai détaillé par le menu les rouages de mon affaire de yaourt. Vous avez pu, centime par centime, apprécier sa valeur pécuniaire. C'est du 100 pour 100 de revenu net. D'accord?

— Mais oui, Guillaume, approuva ma tante vaguement.

— Les capitalistes qui me financent ne sont pas des imbéciles. Ils comptent sur ce gain. Pourtant, ces capitalistes ce sont des étrangers, des inconnus; gens honorables. certes, mais qui ne méritent en rien mon affection. Or, le cadeau que je leur fais, — car il n'y a pas d'autre terme pour désigner ce prodigieux filon, — le cadeau que je leur fais, j'ai songé que d'autres en étaient plus dignes; d'autres que j'aime, d'autres que je révère, d'autres que ma conscience m'ordonne de guider à travers les dédales de l'avenir! Ces autres, ou plutôt cette autre, vous l'avez reconnue : Angèle, je vous offre la commandite exclusive de mon entreprise! »

Il s'était levé. Il se tenait, les bras écartés, les mains ouvertes, comme un acrobate qui vient d'achever un tour difficile. Ma tante le regarda avec une souriante incompréhension :

« Et alors? » dit-elle.

Il se rassit, et lui parla plus bas :

« Voici. Je sais que vos moyens ne vous permettent pas une excessive dépense. C'est pourquoi j'ai réduit les proportions de la société. J'ai calculé qu'un capital de 25 000 à 30 000 francs nous fournirait une base suffisante pour le lancement. C'est un début bien modeste, je le confesse; mais j'ai toujours eu pour principe d'agir avec prudence lorsque l'argent d'un tiers était engagé dans mes industries. Donc 25 ou 30 000, répartis comme suit :

— Mais tout de même... Je ne les ai pas, Guillaume... »

Mon père haussa les épaules avec agacement :

« Allons! Allons! Vous n'allez pas me faire croire ça!

— Je vous assure...

— 25 000! Qu'est-ce que c'est que 25 000! Un crachat dans la mer, une brindille dans la meule! 25 000! On a toujours 25 000!

— Je voudrais, hélas!... Mais voilà!

— A la mort de votre père vous avez vendu sa propriété de La Jumèze (ma pauvre femme et moi, nous nous sommes assez opposés à cette folie pour que je m'en souvienne!) soit 400 000 francs... 400 000 francs que vous avez déposés... »

Ma tante avança la lèvre inférieure dans une moue pleurarde :

« Mais j'ai besoin de vivre aussi, Guillaume... Si vous me prenez cet argent... »

Il se rejeta contre le dossier de sa chaise :

« Mais on ne vous le prend pas votre argent! Nom de Dieu! C'est un placement! Un pla-ce-ment! »

Il détachait les syllabes à forts coups de mâchoires :

« Un pla-ce-ment! Vous ne savez pas ce que c'est, peut-être? J'en connais des centaines qui grincent des dents de ne pouvoir fourrer leurs capitaux dans mon entreprise, et vous!... Ah! ça, ça! Alors! Moi qui croyais vous rendre service! Du diable si je m'attendais à cette sortie : « Mais j'ai besoin de vivre, Guil-« laume! Mais je ne les ai pas, Guillaume! Mais si « vous me prenez mon argent, Guillaume!... »

Il l'imitait, forçant sa voix jusqu'à des notes aiguës où elle vacillait drôlement :

« Fameux! Fameux! Il faudra que je le raconte à

Varlot! Il se tordra! Non, mais ce qu'il se tordra! »

Ma tante sourit avec une application enfantine :

« Ne vous fâchez pas, Guillaume.

— Non, non, je ne me fâche pas... Je suis ravi! Je comprends parfaitement votre attitude! C'est très féminin, très animal! Vous avez de l'argent mais vous ne voulez pas le risquer. Alors dites : « Je ne veux « pas le risquer. » Ça sera plus franc que de vous réfugier derrière des excuses stupides! »

Une soudaine fierté défit le sourire servile de ma tante :

« Mais ce n'est pas vrai... Tout est faux... Des fois je veux bien risquer... Avant votre départ vous m'avez conseillé d'acheter des actions... je ne sais pas quoi... j'ai acheté... j'ai risqué... Non, alors... Vraiment! »

Il se leva, très digne, les paumes à plat sur sa poitrine.

« Alors vous voulez bien acheter les actions d'une société étrangère, et, quand votre beau-frère vous propose la commandite de son entreprise, vous refusez de lui prêter votre concours! C'est comme ça que vous comprenez l'entraide familiale! C'est là votre morale! votre religion! Bon, bon, je note! Ça vous juge une femme, des phrases comme celles-là! Cataloguée, ma chère, cataloguée! »

Il ricanait et se frottait les mains avec une satisfaction épouvantable. Ma tante, égarée, cherchait à se rattraper. Elle balbutia :

« Mais l'autre... l'autre c'était une société qui existait déjà... Moi, je savais ce que c'était... »

Un rugissement accueillit ces paroles :

« Ça, c'est le bouquet! Je conclus de vos explications que vous doutez de mon idée! Vous doutez de moi! Vous doutez de moi! »

Il marcha sur elle :

« Mais répondez! répondez donc! Elle reste là, muette comme un soliveau! Dites quelque chose! C'est ça, vous doutez de moi? »

Il était blême, avec de profondes rides pâles qui dansaient autour de sa bouche et des yeux saillants comme des billes. Il levait au-dessus de sa tête d'énormes mains aux doigts écartés, prêtes à s'abattre n'importe où, à tordre n'importe quoi.

Je m'enfuis vers la maison. La porte refermée, j'entendis la voix geignarde de ma tante :

« Ne criez pas! Grossier! Odieux! Triste sire!

— Mais est-ce qu'on peut ne pas crier avec vous? Ça ne fait rien! Ça ne sait rien! Ça vit de ses rentes! Ça marine dans son égoïsme!

— Oh! Je défends...

— Un zéro! Voilà ce que vous êtes! Quelle crasse! Quelle crasse! On se démène parmi des horreurs! On patauge dans l'ordure, dans la vomissure! Quelle crasse! »

De la vaisselle vola en éclats. Il y eut de petits sanglots :

« Et ça ne sait que pleurer! Toujours pleurer! Je fiche le camp! Je fous le camp, là! »

Des pas se rapprochèrent. Il entra, suçant rageusement son pouce qui saignait. Il referma la porte d'un coup de pied. Il ordonna d'une voix basse, uniforme :

« Boucle les valises. On part. »

•

Nous marchions avec lenteur et les coins des valises nous meurtrissaient les jambes à chaque pas. Mon père était très pâle. Il se taisait, le regard dans la poussière. Mais parfois il grondait :

« Ils n'auraient pas pu la foutre un peu plus loin, cette gare! »

J'étais bouleversé. Des raisons que j'ignorais avaient certainement dicté la conduite de mon père. Je ne cherchais pas à les préciser. Je ne doutais pas qu'il fût dans son droit. Et cependant je ne pouvais l'approuver entièrement. Je plaignais ma tante. Je la voyais en pensée, irritée, éperdue, pleurnichante, se reprochant telle phrase, tel geste, interrogeant Frinne sur les heures des trains, furetant dans la villa déserte pour y découvrir un vestige de ceux qu'elle ne devait plus revoir. A présent qu'elle était loin de moi, je la dotais d'une âme affectueuse et inquiète. Je la regrettais. Nous passâmes devant le bouquet d'arbres qui nous avait abrités la veille. Cette fois, je ne pus retenir mes larmes. Je songeai que souvent j'avais dû blesser ma tante par mes railleries et qu'elle avait souffert par ma faute plus que je ne le soupçonnais. Je décidai de lui envoyer une lettre d'excuses, dès mon retour à Paris, et un cadeau. Pour le cadeau, mon choix s'arrêta sur un tableau de verdure et de soleil, que je me promis d'exécuter sous la direction de mon père. Machinalement, je demandai :

« C'est à Paris que nous achèterons les couleurs et le papier?

— Quelles couleurs? Quel papier? »

Je fus surpris d'avoir à préciser :

« Tu m'avais dit que tu m'apprendrais à peindre... »

Il fit quelques enjambées sans répondre.

« Ah! oui, dit-il enfin, avec un pauvre sourire. Peindre! Oui, oui! On verra ça, mon petit! Plus tard! En ce moment, non! Plus tard, veux-tu? »

Tout à coup, il posa la valise, s'assit sur le talus. Il me prit les poignets. Il me regarda avec une douce fixité. Il parla :

« Je veux causer avec toi comme avec un homme! Tu me comprendras, j'en suis certain. Voici : ma situation actuelle est détestable. Plus un sou. Ou presque... Seulement, là... »

Il se frappa le front :

« ... Là, des milliards! Le tout c'est de savoir faire passer les milliards de mon crâne dans ma poche. Un tour de passe-passe que j'ai réussi bien des fois et que, cette fois encore, j'espère réussir. Ta tante nous refuse sa participation? Tant pis! Je m'arrangerai sans elle! Elle s'en mordra les doigts jusqu'au trognon! Et ça sera bien fait! »

J'approuvai lâchement. Il poursuivit :

« Nous louerons un appartement très modeste, dans le centre. Il sera le berceau de mon entreprise. Le nid sacré, où l'oiseau de la Fortune viendra déposer ses œufs! *Cheer up!* »

Comme ragaillardi par ses propres paroles, il se dressa, bomba le torse et, se tournant vers l'horizon, avec un air de mâle défi, s'esclaffa longuement. Et, d'un coup, il regagnait l'altitude que je lui avais assignée en esprit. Toute mon admiration lui était intégralement rendue. Une fringale de prouesses s'empara de moi. Quelle vie aventureuse n'allais-je pas connaître, emporté dans son sillage?

« En route, mauvaise troupe! »

Nous reprîmes notre marche. A un moment, il imita le geste de ma tante, se frottant le visage avec un tampon d'ouate. Je ris.

Nous croisâmes le marchand de vin qui revenait de la pêche, ses lignes sur l'épaule.

« Vous partez déjà? dit-il.

— Eh oui », dit mon père.

Et j'intervins assez bêtement :

« Dieu merci! »

DEUXIEME PARTIE

I

UNE pancarte était clouée à la porte :

YAOURT KALMOUK

Laboratoires. — Bureaux. — Direction.
Tournez le bouton S. V. P.

Dans le vestibule, d'autres pancartes priaient les visiteurs de ne pas distraire le personnel de son travail; d'exposer rapidement leurs requêtes parce que « notre temps » était « aussi précieux » que le leur, et de ne pas cracher sur le sol. Une profusion de flèches découpées dans du papier rouge indiquaient la direction de la sortie, de la caisse, de la salle de conseil et l'emplacement des boutons de sonnette. Un calepin, pendu au mur, portait cette formule imprimée : « Nom du visiteur. — Objet de la visite. — Réponse — » et la recommandation d'écrire lisiblement. Enfin, sur la porte du fond, se détachait en lettres bleues, cernées d'un filet or la magique inscription : *Private.*

Ces écriteaux composaient presque exclusivement notre mobilier. Mon père disait que l'absence de vains ornements donnait à l'antichambre un aspect strict, moderne et commercial, propre à gagner la confiance des clients. Les mêmes principes l'avaient guidé dans l'installation de son cabinet de travail. Au centre, une table. Sur la table, un encrier de bronze (une femme allongée, avec une amphore pleine d'encre soudée au flanc), des crayons taillés fin, des plumes, des règles, un sablier et un presse-papier de cristal. Par terre, des dossiers vides, ceinturés de courroies et montés en piles. Le long des murs, six chaises, qu'il avait, je ne sais pourquoi, numérotées de un à six sur les dossiers. Et aux murs des avis analogues à ceux de l'entrée, mais rédigés en anglais, en allemand et en italien, avec des lettres de couleur différente pour chaque langue.

Il ne fallut pas moins d'une semaine pour aménager « les bureaux ». Le huitième jour, mon père partit à la recherche d'un associé, car il se sentait incapable de diriger à la fois la fabrication, le contentieux et la vente dans une entreprise qui promettait de prendre un aussi rapide développement. Il revint tard dans la soirée, poussant par les épaules un bonhomme maigre, au visage grisâtre piqué de points bleus, avec des touffes de poils jaunes de part et d'autre de son crâne oblong et de pauvres yeux sans couleur et sans force qui naviguaient entre des paupières tremblantes.

« Tu vois cet homme, mon fils, déclara mon père, il s'appelle Fisquet! C'est le roi du yaourt! Avec lui pour compagnon, nous pouvons dormir sur nos deux oreilles : la fortune connaîtra le chemin de cette demeure! Ce vieux Fisquet! Tu regardes l'outillage? Ça a de la gueule, hein? Par ici la cuisine-laboratoire! Casseroles, pots, étiquettes, lait même, tout y est! Nous n'attendons plus que tes mains faiseuses de miracles! »

Fisquet s'assit sur le bord d'une chaise, le chapeau sur ses genoux, les bras serrés au corps, dans une attitude d'humilité contristée qu'exagérait encore la bruyante gesticulation de mon père. Il ne parlait pas. Il regardait droit devant lui, avec des yeux de brume. Mon père disait :

« Je crois que ça marchera. En Amérique j'avais ouvert un petit restaurant. Eh bien, tu me croiras si tu veux, mais la clientèle consommait deux cents ou trois cents pots de yaourt par jour! »

Fisquet laissa mourir les dernières paroles de mon

père dans le silence, et, tout à coup, se tournant vers lui, se redressa. Je vis ses prunelles luire d'un éclat féroce. Il cria d'une voix grinçante de vieillard :

« Allons donc! Tu me prends pour un imbécile?

— Deux cents à trois cents... Je te l'affirme...

— Mettons vingt-cinq, et je suis encore large!

— Vingt-cinq? Vingt-cinq? Mais à moi seul j'en mangeais quinze par jour!

— Tu n'en mangeais pas quinze!

— Et moi je te dis que si! Quinze, régulièrement! Veux-tu que je te donne ma parole d'honneur? Veux-tu? Veux-tu? »

Mais Fisquet secoua la tête. Ses yeux s'éteignirent. Il promena sur nous un regard atone de cadavre.

Il dit avec ennui :

« Ce n'est pas la peine. Je ne t'en croirais pas plus!

— Alors, veux-tu parier?

— Non plus!

— Ha! ha! riait mon père, il ne veut pas parier! Il ne veut pas parier! Quel type! »

J'étais surpris de voir que Fisquet causait avec mon père comme avec un enfant, ne tenait pas ses assertions pour certaines, et ne riait pas à ses plaisanteries. Je crus que mon père allait le rabrouer pour son impertinence. Mais il se bornait à répéter :

« Sacré Fisquet! Toujours fulminant! Toujours explosant! »

J'en conclus qu'il lui pardonnait parce que le bonhomme était vieux et misérablement mis.

Lorsque le lait fut versé dans les casseroles, mon père revêtit une blouse blanche de chimiste, Fisquet retira son veston et le travail commença. Fisquet, debout devant l'évier, rinçait les pots de grès et je les essuyais aussitôt. Mon père courait d'un récipient à l'autre, réglait la hauteur des flammes, soufflait sur la fumée qui lui dérobait le liquide, humait à plein nez un parfum que nous ne percevions pas et qu'il déclarait enivrant, se lavait les mains toutes les deux minutes, et jurait qu'il était impossible de travailler sans gants de caoutchouc. J'admirais l'activité passionnée qu'il apportait à la tâche. Qu'avait-il besoin d'un associé? Et surtout d'un associé aussi abruti que Fisquet? Je le regardais. Il avait l'air, affaissé sur lui-même, d'un paquet de vieux habits. Seules ses mains jaunes, aux articulations enflées en billes, bougeaient, frottaient les parois crissantes des pots, se tendaient vers moi ruisselantes, attestaient qu'il ne dormait pas.

« Nous serons les seuls à vendre du yaourt en pots jaunes, dit mon père. C'est quelque chose! »

Fisquet ne répondit rien.

« Sais-tu combien j'ai payé ces pots? poursuivit mon père. Un franc pièce! Mais aussi quelle présentation! »

Fisquet le vrilla d'un regard froid, et siffla, les lèvres à peine entrouvertes :

« Tu mens...

— Je les ai payés un franc pièce!

— Alors on t'a volé.

— Et on ne m'a pas volé!

— Alors montre la facture.

— La facture?... Tu es bon, toi!... Si tu crois que je sais où je l'ai fourrée!... et m'en ont-ils donné une, seulement! D'ailleurs tu n'en as pas besoin, puisque je t'affirme que ça coûte un franc! Veux-tu sortir? Viens, viens, on va demander le prix à la boîte où je les ai achetés, tu verras... viens! »

Fisquet agita mollement la main devant son visage, comme pour chasser une fumée et murmura :

« Laisse-moi tranquille... Tu sais bien que je n'irai pas... Je m'en fous... C'est toi qui supportes les frais de vaisselle... Je m'en fous... »

Et il ajouta :

« Tu ferais mieux de ne pas te démener comme ça devant le fourneau. Ça ne sert à rien de faire du zèle! »

Une vague de haine me souleva contre ce petit être incolore qui se permettrait de ne pas adorer mon père. Mais, cette fois encore, mon père sourit :

« Chacun sa méthode! Moi je me dépense! »

Une écume blanche déborda furieusement de la casserole.

« Eh! eh! cria Fisquet, l'œil en feu. Tu te dépenses! Voilà où ça mène de se dépenser! »

Il coupa le gaz au compteur. Ensuite, il transvasa le lait dans les pots, y injecta à l'aide d'une seringue quelques gouttes d'un yaourt-ferment, recouvrit les pots de plaids, de manteaux, surveilla la température. Ce ne fut qu'après avoir achevé ces délicates manipulations qu'il prit congé de nous.

Pour nous, jusqu'à minuit nous collâmes des étiquettes. Une tête de kalmouk en extase ornait le centre d'une rondelle de papier mauve, avec cette légende : « Yaourt kalmouk. — Pasteurisé et tonifiant. — Exigez la vignette. — En vente dans toutes les bonnes maisons. » Des pots montait une petite odeur acide qui serrait les tempes. La colle poissait mes doigts gourds. Le sommeil engluait mes cils. Je demandai à mon père pourquoi Fisquet n'était pas plus aimable avec nous.

« Mais voyons, il donne l'argent pour le lait », dit mon père.

II

QUAND nous entrâmes, un garçon somnolent dressait les couverts sur les nappes de papier gaufré. D'un geste de sa serviette, il nous désigna le fond du restaurant.

« Le patron? Il est là-bas, derrière la colonne... »

Le patron était un gros homme aux bajoues beurrées de teintes jaunâtres, avec une moustache hirsute, plantée de travers, et des yeux roux, obliques, larmoyants. Mon père le salua, posa la mallette par terre. Il était légèrement essoufflé et sourit pour s'excuser du retard qu'il apportait à prendre la parole. Puis, il dit :

« Monsieur, je viens de la part de la « Société du Yaourt Kalmouk... » Vous connaissez sans doute?... »

L'énorme tête roula de droite à gauche sur ses bourrelets de graisse :

« Non. »

Mon père haussa les sourcils et ouvrit les bras dans un geste d'étonnement respectueux :

« Dans ce cas, permettez-moi... »

Il tendit une des cartes que l'imprimeur nous avait livrées la veille. Le patron fourra la carte dans sa poche, sans la lire, et grogna :

« Alors, qu'est-ce qu'il a, ce yaourt? On le donne pour rien? Il se conserve cent ans? »

Mon père eut un petit rire abrégé qui me fit mal :

« Hé! Hé! Hé! On le donne pour *presque* rien, et il se conserve *presque* cent ans! dit-il avec une voix rapide et fausse. On le donne pour *presque* rien, et il se conserve *presque* cent ans! Désirez-vous jeter un coup d'œil, un simple coup d'œil?... Ça ne vous engage à rien... »

L'homme se passa la main sur le nez avec ennui :

« J'en ai, dit-il. Et il est très bon. Je ne tiens pas à en changer.

— Permettez! Il est peut-être très bon; il est même sûrement très bon, puisque vous l'avez honoré de votre choix! Mais cela n'empêche pas notre produit de lui être supérieur. Fabriqué selon des méthodes spéciales, pasteurisé, stérilisé, antiseptisé et tonifiant, notre yaourt ne craint aucune concurrence. Ce n'est plus une simple gourmandise, c'est un médicament! Le client sort d'autant plus satisfait d'un restaurant comme le vôtre qu'il sent sa digestion mieux amorcée.

Or qu'est-ce qui amorcera sa digestion? Le vin, le pain, la viande, les légumes? Je parle à un connaisseur! Non, mille fois non! Mais le yaourt! Et parmi les yaourts, le yaourt Kalmouk! Pourquoi? Parce qu'au lieu d'être fermenté, vous me suivez? Parce qu'au lieu d'être fermenté par un prélèvement sur le yaourt de la veille, il est fermenté directement par le bacille bulgare uni à un streptocoque lactique. Cela, nous le garantissons! Conclusion : pour garder votre clientèle, adoptez le Yaourt Kalmouk; le seul reconnu par l'Institut Médical; le seul qui soit en vente dans toutes les bonnes maisons! »

Il était très rouge et la sueur perlait en petites gouttes rondes au-dessus de sa lèvre. Il se frottait les mains à les faire craquer.

« Tout ça, c'est du boniment... Montrez-moi plutôt... »

Mon père se baissa prestement, se releva, tenant un pot de yaourt dans sa main, et fit sauter le couvercle d'un coup d'ongle.

« Voilà, voilà! dit-il avec un empressement servile; et même il fit claquer ses talons l'un contre l'autre. Admirez la teinte blanche, unie : aucun dépôt jaune, aucune poussière! Plus translucide que la perle! Et ce parfum! Mais faites-nous l'honneur de goûter, cher monsieur! C'est le seul moyen de se rendre compte! »

Et il lui tendit une petite cuillère en carton. Le

patron cueillit un fragment de gelée opaline, suça la cuillère et fit danser l'aliment au creux de ses joues avec un léger clapotis de salive. Mon père épiait avec anxiété ses moindres gestes. En même temps, il souriait, d'un sourire appliqué qui lui fronçait le nez comme un éternuement retenu.

« Il n'est pas meilleur que le nôtre, dit le patron.

— Ah! » dit mon père.

Et aussitôt sa joyeuse éloquence l'abandonna. Il bredouilla :

« Peut-être est-ce un pot défectueux... qu'ils ont donné... J'en rendrai compte... parce que je peux vous assurer que c'est la première fois qu'on ne se montre pas entièrement satisfait de nos produits... Oui, la première fois... C'est pour vous dire... Voulez-vous que j'en ouvre un autre?...

— Pas la peine! »

Son humilité me soulevait le cœur. J'espérais un geste décisif : gifle, coup de pied, bris de vaisselle, départ éclatant...

« Je suis sûr que vous changerez d'avis...

— Je vous dis que ce n'est pas la peine. »

Une consternation quémandeuse tira les coins de sa bouche. Il murmurait sans conviction

« Ça n'engage à rien... vous savez, ça n'engage à rien... »

Et il restait sur place, les bras pendants. L'autre le dévisageait avec une hauteur paterne. Enfin :

« Combien les vendez-vous? » dit-il.

Un soudain espoir ramena sur la face de mon père le même sourire exécrable à narines plissées et le même regard sucré :

« Soixante-quinze centimes et un franc pour le pot. C'est un prix très intéressant que nous avons établi spécialement pour combattre la concurrence qui, vous ne l'ignorez pas, est considérable sur le marché français.

— C'est à peu près ce que nous le payons... Vous vendez ça à la commission?

— A la commission, bien sûr, bien sûr...

— Avec un versement d'arrhes sur les pots?

— Avec un versement d'arrhes sur les pots... exactement... »

Il répétait les derniers mots du restaurateur, comme pour mieux souligner l'heureuse concordance de leurs deux pensées.

« Donnez-m'en dix pots... Pour marquer votre passage...

— Dix pots! Très bien, très bien! » dit-il, la voix blanche d'émotion.

Il se baissait vers la mallette, se relevait, agile, obséquieux, haletant, et ses mains tremblaient d'une sale fièvre. Il chuchotait :

« Voilà... voilà... »

Comme s'il craignait d'impatienter l'acheteur par sa lenteur à le servir :

« Une, deux, trois, quatre, cinq, six, sept, huit, neuf et dix... Ils y sont tous les dix... Voulez-vous prendre la peine de vérifier... Je peux m'être trompé... n'est-ce pas, on ne sait jamais... »

Je me détournai pour ne pas le voir multiplier ses courbettes et ses clignements d'yeux.

« On s'occupe de vous? me demanda le garçon.

— Je suis avec monsieur », dis-je.

Et jc rougis jusqu'aux oreilles.

La voix de mon père poursuivait, susurrante :

« Je vais vous faire votre petite fiche... Vous n'aurez plus qu'à signer... Au bas de la feuille... C'est ça... là... parfait... Je signe à mon tour... Là... Dans trois jours je viendrai voir les résultats... Merci, monsieur... Bonjour, monsieur... Excusez-moi de vous avoir dérangé... »

Plus tard nous entrâmes dans une laiterie, où la patronne s'apitoya sur notre sort. (« Par cette chaleur! Ça doit être terrible! Et ce petit, c'est votre fils? ») et refusa de nous rien acheter, puis dans un magasin d'alimentation générale où mon père dut abandonner tout son bénéfice pour obtenir une commande, enfin dans un autre restaurant, dans une autre laiterie... Partout, les sourires de bienvenue s'achevaient en grimaces de dédain lorsque mon père déclinait son titre de représentant du Yaourt Kalmouk pour la France. Partout, les employés ricanaient lorsque mon père, dans sa précipitation à contenter l'acheteur, laissait échapper le livre de commande, ou trempait le doigt dans le pot de yaourt échantillon qu'il lui tendait. Partout, les caissières toussotaient avec impatience lorsqu'il s'embrouillait dans une addition et qu'il s'excusait par des : « Que je suis bête! Vous permettez... je suis nouveau!... »

Je souffrais de voir que ces étrangers, non seulement n'admiraient pas mon père, mais encore le méprisaient et parfois se moquaient de lui. Comment ne devinaient-ils pas derrière ces gestes et ces paroles conventionnels la véritable identité de leur auteur? Et s'ils ne la devinaient pas, pourquoi mon père ne les détrompait-il pas lui-même? Pourquoi se complaisait-il dans ce rôle qui était indigne de lui?

A la fin de la journée j'étais malade de honte et prêt à pleurer. Par contre, mon père exultait d'une joie tapageuse :

« Cinquante-deux pots de placés! Mon cher! Ça c'est une affaire! Fisquet va jubiler! Il ne le mérite pas, la canaille... »

Et je lui reprochais mentalement cette gaieté qui m'interdisait de le plaindre.

*

Nous dînâmes d'un bock et d'un sandwich dans le bistrot où Fisquet devait nous rejoindre à dix heures. Mon père ne parlait plus et se contentait d'ouvrir toutes les cinq minutes son livre de commandes, pour le feuilleter avec une négligence feinte. Plus tard, il dut s'apercevoir de mon abattement, car il me dit :

« Bien sûr, tout n'est pas rose dans le métier de représentant! Crois-tu qu'il me soit agréable d'aller faire le pitre sous le nez de cette valetaille? Non! Mais la nécessité guérit de l'orgueil! Il le faut, et on le fait! »

Et je désirais tellement n'être plus malheureux que ces paroles me rendirent l'espoir. Peut-être m'étais-je trompé sur son compte? Peut-être comprenait-il, peut-être souffrait-il comme moi de cette humiliation? Et s'il avait dissimulé sa peine, peut-être était-ce parce qu'il lui répugnait d'éveiller la pitié? Mais Fisquet apparut dans l'encadrement de la porte et une telle allégresse rajeunit le visage de mon père que je ne sus plus que penser.

« Eh! Par ici! Par ici! » criait-il.

Et, lorsqu'il fut assis devant nous :

« Regarde ça, monsieur l'associé! Regarde ça! Cinquante-deux pots!... Le premier jour!... »

Il tournait les pages, fébrile, et annonçait :

« Maison Grignette, dix pots... Maison Bivac et Palefrin, douze pots : c'est une grosse boîte à suivre... Maison Moulinave, cinq pots : du petit commerce, mais du petit commerce bien compris... »

Fisquet soufflait sur son tilleul. Il s'interrompit pour dire :

« Tout ça, ça ne signifie rien... Dans trois jours on verra... D'ici là... »

Et il se remit à souffler, l'œil idiot, les lèvres bourdonnantes.

Mon père trônait, fourbu, sûr de lui, les traits détendus par la victoire :

« Ce que je les ai possédés, commença-t-il. Non, mais ce que je les ai possédés! Je leur disais un peu ce qui me passait par la tête, et, lorsque je les sentais étourdis à point, « tac », l'argument définitif partait, frappait juste, et je n'avais plus qu'à ramasser le « gibier ».

A moi, qui me souvenais de ses affolements et de ses bassesses, ce langage parut surprenant. Je me demandai s'il croyait de bonne foi s'être joué des clients, ou s'il désirait simplement briller aux yeux de son associé.

Fisquet lapait l'infusion brûlante avec de petits soupirs d'aise. Sa vieille figure, couleur de plâtre mouillé, n'exprimait que la satisfaction animale de sentir la chaleur descendre et se répandre en lui. Mon père commanda un « pernod ». Il s'échauffait à son propre récit :

« Il y en avait un qui voulait faire le fier avec moi! Il me dit : « C'est de la camelote, votre marchandise!
« — De la camelote, je lui réponds, répète-le un peu,
« sac à tripes, que c'est de la camelote! » Et là-dessus le voilà qui se met à trembler : « Ne vous fâchez pas..
« Allons... Allons... Je vous en achèterai... C'est entendu... »

Je fus surpris de son mensonge. Cet esprit de gloriole, cette fatuité sereine de coq de village me gênaient. Fisquet n'avait rien entendu. Il savourait son tilleul avec componction.

« ... Et il m'a reconduit jusqu'à la porte avec des :
« Au revoir, monsieur », des : « Excusez-moi, mon-
« sieur... »

Soudain, Fisquet releva la tête. D'entre ses paupières plissées jaillit un regard clair, aigu, telle une lame. Il glapit :

« Ce n'est pas vrai! »

Et de nouveau l'œil s'éteignit, comme derrière une taie.

« Et moi, je t'affirme que c'est vrai! Il m'a reconduit et il m'a dit : « Excusez-moi, monsieur! »

— Il ne t'a pas dit ça », continua Fisquet, mais avec lassitude, déjà, et le nez dans sa tasse.

« Il me l'a dit! Il me l'a dit! Ouf! Quel type? Demande au petit si tu ne me crois pas!

— Je ne demanderai rien au petit, mais je ne te crois pas.

— Sais-tu que je suis en droit de m'offenser?

— Eh bien, offense-toi, si ça t'amuse... Et moi, je m'en vais. »

Il fit mine de se lever. Mon père le retint par la manche :

« Le voilà qui se fâche! Le voilà qui se fâche! »

Il l'assit de force à ses côtés.

Je me rappelai mon indignation de la veille, lorsque Fisquet avait pour la première fois rabroué mon père. A présent, ses gronderies n'éveillaient en moi qu'une confusion sans révolte, un ennui prosaïque, un peu de dégoût... Je désirais surtout que la discussion prît fin.

Mon père apaisait le bonhomme :

« Ecoute, buveur d'eau tiède, lutin décrépit, condor déplumé, quel intérêt aurais-je à mentir? »

Oui, pensais-je, quel intérêt a-t-il à mentir?

Et je sentis tout à coup que je ne comprenais pas mon père, et que peu de gens, sans doute, le comprenaient.

*

Le troisième jour, sur cinquante-deux pièces laissées en dépôt chez divers marchands, douze seulement avaient été vendues. Comme les clients ne rendaient la vaisselle que contre le remboursement des arrhes qu'ils avaient été obligés de verser, mon père promit de revenir le lendemain avec l'argent nécessaire au rachat. Nous rentrâmes tard et sans passer par le bistrot où Fisquet nous avait donné rendez-vous. Mon père était soucieux et se taisait. Lorsque je fus couché, il vint s'asseoir au pied de mon lit. Je le croyais très abattu par l'insuccès de son entreprise. J'hésitais à nouer une conversation dont chaque mot pouvait le blesser. Mais il dit :

« Je suis ravi de la tournure que prennent les événements. Cela me donne un excellent prétexte pour plaquer là ce butor de Fisquet et son lait caillé. Sérieusement, j'en avais assez de cette comédie! Et toi? »

Il alluma une cigarette. Le point rouge naissait et mourait dans la nuit, éclairant par moments deux longs doigts mi-pliés et la courbe d'une paume. On ne voyait pas la fumée. Il poursuivit :

« Au fond, j'étais sûr que cette affaire ne pourrait pas marcher! Qu'est-ce que c'est que le yaourt? Le premier imbécile venu peut acheter un litre de lait le faire bouillir et le laisser fermenter sous des couvertures! Le véritable filon consiste à découvrir un produit que nul n'a jamais fabriqué. Ainsi, le jeu de la concurrence étant annihilé, tu fixes ton prix comme tu l'entends. Tu es le maître sur le marché! Tu saisis? »

Ses yeux luisants cherchaient mes yeux et leur défendaient le sommeil.

« Eh bien, s'écria-t-il, ce filon, je l'ai trouvé, ou plutôt nous l'avons trouvé, moi et une jeune femme charmante et fort cultivée : Gisèle Bennet. Tu feras sous peu sa connaissance : nous dînons chez elle après-demain. Il s'agit d'une crème de beauté à base d'huile de palme et de suc de laitue, alliés à certains éléments astringents, dont le nom ne t'apprendrait rien. Cette crème, non seulement elle facilite l'adhérence de la poudre, mais encore, pénétrant à travers les pores jusqu'aux glandes cutanées et sous-cutanées, elle dissout les points noirs et travaille au blanchiment général de la peau. »

Il s'était levé. Il marchait dans la chambre à longues enjambées obscures :

« Avoue qu'il est autrement agréable de malaxer ces parfums suaves, ces mousses irisées, ces poudres multicolores, que de surveiller bêtement l'ébullition du lait dans une casserole. Ça, c'est de l'art... Toi qui aimes l'art! De l'art doublé de science! »

Je l'écoutais sans enthousiasme. Ce discours me remettait en mémoire les discours qu'il avait prononcés jadis pour établir aux yeux de ma tante la supériorité de l'industrie du yaourt sur toutes les autres industries. Il n'avait pas vanté les attraits de sa première entreprise avec moins de chaleur que ceux de la seconde. Et cependant elle avait échoué. Et je ne pouvais m'empêcher de craindre que la crème de beauté ne suivît le sort du Yaourt Kalmouk, et que toutes les affaires qu'il allait être appelé à monter ne fissent faillite tour à tour. Et même je me demandai s'il avait jamais cru à l'avenir de ses idées. N'était-ce pas une comédie qu'il jouait pour nous berner? N'étions-nous pas dupes de son lyrisme infatigable? Je m'arrêtai, stupide. J'avais douté de lui. D'où me venait cette clairvoyance malveillante, cette froide compétence qui m'effrayait moi-même? Je comparais l'image de ce père tout-puissant, tel que me l'offraient mes lointains souvenirs, à celle de cet étranger capricieux, fugace, incompréhensible. Je sentais qu'un travail irréparable s'accomplissait à mon insu, qu'on étouffait au fond de moi quelque chose d'infiniment fragile et d'infiniment précieux que je n'avais pas su protéger et que je ne saurais, pour rien au monde, remplacer. Je fus seul tout à coup, avec le violent désir d'entendre des paroles intelligentes et douces et d'être consolé. A ce moment, j'entendis la profonde voix rêveuse de mon père qui murmurait tout près de moi des mots dont je ne compris pas le sens :

« Mousse polaire... Pâte d'Antioche... Neige de Pompéi...

— Que dis-tu? demandais-je avec un immense espoir.

— Je cherche un nom pour la crème de beauté, répondit-il. Que penses-tu de « Neige de Pompéi?... »

III

Mon père se lissa les cheveux et les sourcils, rajusta sa cravate, tira ses manchettes d'un geste sec, l'épaule basse et le bras tendu. Il sonna. Le timbre grelottait encore dans la boiserie, lorsque la porte s'ouvrit. Une jeune femme s'avança. Elle était de fort petite taille, avec un visage aigu à la bouche crûment rougie, aux yeux ovales et saillants d'un bleu humide d'aquarelle fraîchement lavée. A notre vue elle baissa les paupières comme frappée par une excessive clarté, respira profondément et murmura d'une voix expirante :

« Guillaume!... Ah! Guillaume! »

Puis, sans autre transition, elle battit des mains et sauta sur place dans un cliquetis de bracelets et de colliers.

« C'est chic d'être venu! Je croyais avoir oublié de vous donner l'adresse! C'est que j'ai une tête de linotte... »

Ensuite, elle m'avisa :

« Votre fils? » demanda-t-elle, la joue penchée sur l'épaule.

Et aussitôt elle éclata de rire, sans raison apparente, mais toutes dents dehors et le cou doucement gonflé de vaguelettes; elle affirma encore : « J'ai une cervelle de canari », puis nous entraîna, tantôt marchant, tantôt courant par un interminable et sombre corridor. Elle souleva une portière de tapisserie. Une pièce nous apparut, meublée avec une laborieuse fantaisie : chaises dépareillées, cendriers sans tige, peaux à demi chauves, lampes aux abat-jour si opaques qu'il en fallait une dizaine pour éclairer ce bric-à-brac prétentieux. Aux murs, pendaient d'innombrables photos de la maîtresse de maison, toujours souriante et le nez en l'air, avec des flammes ondulées dans les cheveux.

« Mon studio », commença-t-elle...

Mais elle s'arrêta à mi-phrase, releva d'un souffle la mèche légère qui lui ombrait le front, toucha sa lèvre de l'index :

« Je ne suis pas sérieuse! Je manque à tous mes devoirs! »

Dans un coin, trois messieurs discutaient avec ennui. Elle les appela, se raidit, prononça d'une voix exagérément cérémonieuse :

« Messieurs, permettez-moi... »

Puis, elle secoua la tête, faisant voler ses boucles sans ménagement.

« Oh! là, là. J'en ai assez, moi, de faire des présentations! D'abord, j'ai jamais su! Ce n'est pas l'affaire des petites filles! Arrangez-vous comme vous voudrez, na! »

Et elle tapa le sol du talon. Il y eut de gros rires d'hommes. On se récria sur sa naïve spontanéité et sur sa bonne humeur. Je vis mon père se pencher vers un vieillard adipeux et barbu et lui dire, assez bas pour paraître lui confier sa pensée intime, mais assez haut pour, tout de même, être entendu de la maîtresse de maison :

« Charmante, elle est charmante!

— Voulez-vous ne pas faire les cachottiers dans votre coin! minauda la jeune femme, qui avait parfaitement compris.

— Nous disions justement du mal de vous, Gisèle!

— Hi, hi, hi! Les vilains! »

Elle reniflait par petits coups et se frottait les paupières des deux poings.

Je la jugeai sans bienveillance. On sentait qu'elle se donnait un mal infini pour paraître écervelée. Elle parlait gravement de choses légères, légèrement de choses graves, n'achevait jamais une conversation sur le ton où elle l'avait commencée, ébauchait cent gestes en une minute et jamais celui que l'on attendait, fatiguait les yeux et les oreilles par une agitation pépiante et menue. Parfois, lorsqu'elle craignait d'avoir montré trop de suite dans les idées et d'avoir nui ainsi au personnage de gamine distraite qu'elle croyait adroit de jouer, elle lançait une phrase, entrecoupée de rires, et puisée dans un vocabulaire qu'elle avait dû se constituer à la longue, se traitant de tête de linotte, de cervelle de canari, de moineau, de pinson, ou simplement de petite fille. Elle rachetait ainsi l'impression fâcheuse qu'elle avait pu produire et rassurait les invités qui n'aimaient pas à changer d'opinion. J'en voulus à mon père de paraître goûter ses simagrées.

Je fus tiré de mes pensées par un piaillement plus aigu que les autres.

« Ah! Mon Dieu! J'oubliais l'essentiel! » criait Gisèle.

Elle fit une pirouette, s'affala en boule sur le sofa et se releva, tenant dans une main un négrillon d'étoffe noire sans ventre et aux membres lâches, et de l'autre un petit ours pelé, au museau rose, avec des rubans multicolores autour du cou.

« Guillaume! Je vous présente Arthur et Léonie. Léonie c'est le petit ours! Arthur et Léonie, dites bonjour au monsieur! »

Et, d'une pression de doigt, elle inclina les deux têtes. Mon père se tira de la situation par une révérence comique et un sermon sur le respect que les enfants doivent à leurs parents, « bien que les parents soient quelquefois plus enfants que les enfants eux-mêmes! » Pour ces paroles, il fut gratifié d'une tape sur la joue et d'un : « Hou! je vous déteste! » qui parut le flatter.

Ensuite, elle se tourna vers moi et, secouant les deux poupées sous mon nez, hoqueta d'une aigre voix de poule qui a la pépie :

« Vous êtes bien plus mignon que votre père, vous... Il ne sait que faire de la peine aux petites filles, lui... Aussi, regardez comme Léonie vous aime, et comme Arthur vous aime... »

Et elle m'appliqua les deux museaux rugueux sur les joues. Je me jugeai ridicule, dressé ainsi, bras ballants, rouge et muet, devant cette petite femme gesticulante et caquetante. Cependant, elle ne semblait pas s'apercevoir de mon trouble et répétait :

« Votre père est jaloux... vous savez... Il voudrait bien être à votre place... »

Je sentais qu'il fallait lui répondre par un mot drôle, caresser les fétiches qu'elle me tendait, ou même simplement sourire. Mais une timidité méchante me glaçait. A la fin, elle se lassa :

« Puisque j'ai si peu de succès, je ne vous présenterai ni Coco, ni Grioucha, ni Fraulein Flipote; et vous serez bien attrapé... »

Je me crus délivré. Mais à table mes tourments reprirent. Des regards narquois me paraissaient attachés à mes mains tremblantes et suantes, à mes poignets raides et que je craignais d'avoir mal lavés, à mes coudes écartés pour découper la viande. Je bus pour me redonner du courage, et aussitôt je remarquai que j'avais oublié de m'essuyer la bouche avant de boire et que mes lèvres avaient laissé leur empreinte graisseuse sur le rebord du verre. Je fus affolé. Je voulus effacer la trace avec mon doigt, ma serviette. Mais le moindre geste prenait une importance terrible, une fois ébauché. Comme mon voisin riait, je crus qu'il se moquait de moi. Je tremblai de rage contenue. J'associai, dans une haine indistincte cette femme peinte, bête et satisfaite, et ceux qui l'admiraient. Je désirai leur mort ou devenir brusquement très célèbre afin qu'ils se repentissent de m'avoir méconnu. Mais le rire se tut.

« A la santé de la Neige de Pompéi! » cria Gisèle.

Tous se levèrent dans un brouhaha de chaises repoussées.

« Avouez, dit mon père, qu'il est autrement plus agréable de malaxer ces parfums suaves, ces mousses irisées, ces poudres multicolores, que de surveiller bêtement l'ébullition du lait dans une casserole. Ça c'est de l'art! De l'art doublé de science! »

Cette phrase, il l'avait prononcée dernièrement à

mon chevet, et je fus gêné de l'entendre répéter devant des inconnus, comme si le fait qu'elle avait été conçue en ma présence me conférait sur elle un droit de propriété imprescriptible et qui ne souffrait aucun partage. Mon regard croisa celui de mon père. Je n'y lus pas de remords, mais la vulgaire satisfaction d'avoir bien parlé. Et, comme le vieillard adipeux et barbu amorçait une discussion sur les artistes, mon père l'interrompit :

« Vous prétendez que les artistes sont inutiles et même malsains? dit-il.

— Moi? » dit le vieillard, dont mon père en les répétant modifiait les paroles afin de les adapter à la réponse qu'il se proposait de lui faire. Et il regardait ses voisins avec une stupeur indignée, comme pour les inviter à protester contre une aussi libre interprétation de sa pensée. Mais mon père poursuivait, imperturbable :

« Et moi je vous affirme qu'il est une équation que nul n'est en droit d'ignorer : artiste de talent = bienfaiteur de l'humanité = bénévole professeur de bonheur = guérisseur diplômé du Bon Dieu! »

Il continua de discourir avec une belle passion. Mais je ne l'écoutais plus. J'étais outré. Je me rappelais le jour si proche où il avait pour la première fois prononcé cette phrase. J'avais cru son langage exclusivement dicté par l'exaltation artistique, par le décor de soleil, de verdure et d'eau, un peu par ma présence. J'avais admiré ce gaspillage insouciant de mots rares, cette improvisation pailletée de génie qu'il avait faite pour moi seul, sans considérer ma jeunesse et seulement parce qu'il m'aimait. Je ne l'avais jamais senti aussi simple, aussi spontané, aussi proche de moi. A présent je mesurais mon erreur. Ce que j'avais pris pour une explosion d'enthousiasme n'était qu'une tirade soigneusement réfléchie et dont il avait par avance jaugé les moindres effets. Il l'avait débitée à des étrangers avec les mêmes gestes et les mêmes intonations. Je n'avais été ni le premier, ni le dernier à l'entendre, mais un auditeur parmi les autres. Une paire d'oreilles, une paire d'yeux, rien de plus. Je m'irritais à songer que, depuis le jour de son arrivée, il jouait une comédie à succès dont j'étais le public crédule. Je me reprochais de m'être laissé prendre à cette imitation grossière des sentiments qu'il n'avait jamais éprouvés. Il n'y avait qu'à le regarder cependant pour se convaincre du mensonge. Et je me pris à l'observer avec une lucidité farouche. Il me sembla que je le voyais pour la première fois. Comme le vieillard adipeux et barbu répondait à une remarque d'un convive, mon père se taisait. Mais il ne l'écoutait pas. Il avait l'expression nonchalante de l'acteur qui déambule dans les coulisses en attendant son tour de paraître sur scène. Il toussotait, grignotait des miettes, se pas sait la main dans les cheveux, fredonnait, réprimait un bâillement mouillé. Visiblement, il souffrait de sentir l'attention générale portée sur un autre que lui. Mais le vieillard se tut. Alors il eut un regard circulaire, comme pour chercher sur le visage de ses auditeurs l'expression du plaisir qu'ils ne devaient pas manquer d'éprouver à le voir prendre la parole à la place d'un confrère aussi dénué de talent. Il attendit un instant, pour faire encore plus ardemment désirer son intervention. Puis il commença d'une voix dont l'épaisseur veloutée contrastait merveilleusement avec la voix de crécelle de son contradicteur :

« Il y a du vrai dans votre théorie, mais... »

Et, à mesure qu'il parlait, ses yeux s'éclairaient d'une lumière que je connaissais trop, les rides s'effaçaient de son front, comme sous l'action d'un fard sournois, toute sa figure active et colorée affirmait l'orgueil qu'il goûtait à se savoir écouté, contemplé, admiré par ceux qu'il désirait séduire. A plusieurs reprises le vieillard adipeux et barbu lui présenta des objections. Il répondit à côté, mais avec une sûreté qui transporta sa voisine. Elle battit des mains. Et à partir de ce moment il n'eut d'yeux que pour elle, il ne joua que pour elle. Il redoubla de fausse conviction, d'enthousiasme feint. Je reconnus au passage certaines locutions qui m'avaient ravi jadis, et qui devaient être des clichés vieillis, éculés, éprouvés, ceux qui portaient à coup sûr. Le sentiment d'une duperie grotesque, d'une infinie dérision, me serra la gorge.

« Quel pitre! Quel pitre! me disais-je! Comment ne remarquent-ils pas? »

Et je songeai à les détromper. Je m'enhardis même jusqu'à siffloter d'un air sceptique lorsque mon père cita des chiffres à l'appui de son opinion. Mais personne ne prit garde à cette manifestation révolutionnaire. Et ma haine s'accrût de cet insuccès. Je me versai un verre de vin blanc, le but d'un trait, le remplis encore. Une fraîcheur sucrée gelait ma langue et se fondait plus bas en une bonne tiédeur. Une brume ouateuse s'amoncelait par lentes couches dans ma tête. Mes membres las et gourds ne m'obéissaient plus. Au-dessus de moi le lustre paraissait une vaste méduse blanchâtre, lumineuse, tremblante, arrêtée dans un air lourd comme de l'eau.

IV

Le lendemain, mon père me réveilla de très bonne heure et m'envoya racheter les pots de yaourt laissés chez les commerçants du quartier. Il les destinait à servir de récipients pour la crème de beauté. Je ne revins qu'à midi. Il n'y avait plus d'écriteau sur notre porte, les murs de l'antichambre étaient nus et, dans un coin, pêle-mêle avec des bouts de mégots, des rouleaux de poussière et des paperasses, gisaient les pancartes et les flèches que nous avions préparées jadis avec tant de soins. Une odeur épaisse emportait les narines; violette, bergamote, hyacinthe... J'entrai dans la cuisine. Gisèle était assise devant la table et filtrait un liquide huileux à travers un carré de gaze. Mon père, debout près du fourneau, surveillait un bain-marie. Il avait dû se dépenser en bons mots pendant toute la matinée, car ils étaient tous deux rouges, larmoyants de joie et pouffaient à propos de rien.

Je m'approchai de la jeune femme. Comme elle avait les mains occupées, elle me tendit son coude que je serrai.

« Vous m'excuserez, Jean, dit-elle, je ne peux pas interrompre mon travail. »

Et mon père répéta :

« Oui, tu l'excuseras Jean, elle ne peut pas interrompre son travail. »

Ce qui n'avait rien de drôle, mais les fit s'esclaffer longtemps. Et, lorsqu'ils étaient près de reprendre leur sérieux, un regard qu'ils se lançaient, leur rappelant la cause déjà lointaine de leur hilarité, les obligeait à rire encore jusqu'à l'essoufflement.

« Dites à votre père de ne pas se moquer de moi, gloussa Gisèle, en s'essuyant les paupières avec le coin de son mouchoir.

— Moi, je me moque de vous? » s'exclama mon père.

Et son visage rayonnait d'une vanité insupportable.

« Mais je vous respecte bien trop, ma petite Gisèle. »

Elle fit frétiller ses épaules :

« Voilà! Qu'est-ce que je vous avais dit! Il recommence!... »

Elle fila deux ou trois petits éclats de rire :

« Vous profitez de ce que j'ai le sérieux d'un moineau... Eh bien, c'est très laid! Voui, monsieur! C'est très laid! Vous êtes un grand vilain! Vous feriez mieux de déballer les pots!

— Défais le paquet », me dit mon père.

Je m'exécutai.

« Mais ils sont simplement ravissants! piailla Gisèle. C'est là-dedans que vous vendiez votre lait caillé?

— Oui.

— Et on ne vous l'achetait pas dans ces amours de petits pots?... Je ne comprends pas!...

— L'affaire était mal organisée, dit mon père avec une grimace désenchantée. J'avais un associé qui manquait d'initiative... une sorte de crétin... Tandis que maintenant!...

— Ça doit être bien désagréable de travailler dans la représentation, dit-elle.

— Peuh! Pas tant que ça. Vous savez, les marchands voient tout de suite à qui ils ont affaire. Ainsi, l'un d'eux m'a reçu très mal, a critiqué ma marchandise... Alors, sans plus me gêner, je l'ai remis à sa place : « Espèce de sac à tripes, je lui ai dit, vous oubliez à « qui vous parlez. » Eh bien, vous me croirez si vous voudrez, mais il m'a reconduit jusqu'à la porte avec des courbettes et des : « Excusez-moi, monsieur... »

Elle le regardait avec un étonnement qui l'embellissait, ses lèvres entrouvertes sur un carré de dents éclatantes, les sourcils tirés.

« Vous avez dit ça? Vous êtes formidable! Moi je

n'aurais jamais osé! Ce que j'aurais voulu être là! Je me figure la tête du bonhomme lorsque vous avez dit : « Espèce de sac à tripes... » Il devait être abasourdi!... »

L'idiote! J'éprouvais à la voir aussi crédule une gêne analogue à celle que j'avais d'abord éprouvée devant la méfiance systématique de Fisquet. Autant j'avais désiré que Fisquet ne s'aperçût de rien, autant je désirais que Gisèle ne se laissât plus berner par ces fanfaronnades. C'est qu'à présent je ne me bornais pas à mépriser mon père, mais il m'en coûtait de savoir que d'autres ne le méprisaient pas. Toute admiration qu'on lui portait révoltait en moi un obscur sentiment de justice. Je la sentais imméritée, volée. Je m'irritais à la pensée que ma qualité de fils, non seulement m'interdisait de dévoiler aux yeux du monde la véritable nullité de mon père, mais encore m'associait à lui dans le mensonge, m'obligeait à le suivre, à le soutenir, à le couvrir contre mon gré.

Il me posa la main sur les cheveux. Je tressaillis à cette caresse. Comment ne devinait-il pas en moi « l'ennemi »? Il dit :

« Va m'acheter un paquet de cigarettes, veux-tu? »

Je sortis. Mais, à peine dehors, je remarquai que j'avais oublié de lui demander la marque de cigarettes qu'il préférait. Je revins sur mes pas. On ne les entendait plus. La porte de la cuisine était entrebâillée. Je vis mon père penché sur Gisèle et qui lui baisait les lèvres posément. Puis, sa main dénuda l'épaule de la jeune femme. Elle bredouilla des paroles, égarée. Mon père se redressa, pourpre, suant, sans la quitter des yeux, et de nouveau la ploya sous lui. Ils restèrent ainsi, chancelants, comme ivres. Je craignis d'être vu. Je m'enfuis.

Je courus droit devant moi. Le ciel éclatait de lumière. Des rues encombrées montait l'odeur de la poussière, de l'essence, de l'asphalte torréfiés. Les freins criaillaient, les klaxons meuglaient. Une foule dense et piétinante retardait mon élan. Mais je ne voyais rien, n'entendais rien. Une seule image retenait mon attention. Mon père et Gisèle, enlacés, titubants dans la cuisine sombre. Un énorme dégoût me soulevait le cœur à la pensée de ce rapprochement haletant et mouillé de leurs lèvres, de ce pauvre désordre de leurs vêtements, de cette hâte. Je haïssais mon père avec une violence presque douloureuse, mais aussi avec précision. Je le haïssais pour son visage empâté, sa voix vulgairement chantante, ses gestes enveloppants. Je le haïssais pour ses costumes avachis et pour son odeur de tabac, d'alcool, de transpiration parfumée à l'eau de Cologne bon marché. Je le haïssais pour l'atmosphère de parlote creuse, de turbulent cabotinage, de sociabilité facile qu'il suscitait autour de lui. Je le haïssais au-delà de lui-même dans ceux qui l'admiraient, qui l'écoutaient, qui l'entouraient sans déplaisir. Je le haïssais en tout ce qui n'était pas moi. Je suffoquais de haine.

Dans le square où j'avais pénétré, des gosses se pourchassaient en piaillant. Je me laissai tomber sur un banc. Je songeai à ma solitude. Oui, j'étais irrémédiablement seul. J'avais fini d'espérer en mon père. En quelques mots, en quelques gestes, il avait chassé le fantôme intérieur dont j'avais vécu en son absence. Il m'avait arraché une à une des illusions que je croyais indéracinables. Il m'avait laissé sans alliance et sans foi. A présent, sous mes regards neufs rien de pur, d'aimable ou de certain ne subsistait. Rien ne valait la peine d'une pensée. Rien ne valait la peine d'une vie. L'idée me traversa qu'il serait doux de mourir foudroyé.

« Mourir! Si tout à coup sur ce gravier brûlant j'allais m'abattre!... »

L'angoisse me vida le dos de toute force. La clochette d'un tramway tinta, grêle, dans l'indistinct roulement des voitures. Elle s'éloignait par saccades. Elle s'éteignit. Une phrase stupide me vint aux lèvres :

« Elle aussi me quitte! »

Et je fondis en sanglots, le nez dans le pli de mon coude. Je pleurai longtemps. Plus tard, je relevai la tête. Je me sentis délivré d'un poids immense, mais fatigué, lâche et honteux de mon exaltation. Je réfléchis à mon passé, et il m'apparut lointain et pauvre comme le passé d'un autre. Pour l'avenir, la vie s'ouvrait devant moi dépouillée à jamais de ce qui me l'avait fait aimer. Une indifférence nouvelle me glaçait. Tout ce qui m'entourait m'était étranger. Mon père m'était étranger. Des abîmes infranchissables nous séparaient. Son jeu ne pouvait m'atteindre.

Je rentrai lentement par les rues assombries. J'achetai à tout hasard des « Gauloises bleues » dans un bistrot. Je montai l'escalier, ouvris la porte. Mon père sortait de la cuisine, balourd et rouge.

« Tu en as mis un temps! »

Je considérai ce visage qui ne m'attirait plus et ne me repoussait plus.

« C'est vrai, pensais-je, qu'y a-t-il de commun entre cet homme et moi? »

Il demanda :

« Tu as les cigarettes? »

Je lui tendis le paquet.

« Je te rendrai ce soir... »

Et il rentra dans la cuisine, en tirant la porte sur lui.

Il n'avait rien remarqué.

« Comme c'est mieux ainsi », dis-je à haute voix, pour affirmer plus nettement la douceur que j'éprouvais à m'être détaché de lui.

V

A PARTIR de ce jour, je contemplai les visages de mon père et de Gisèle avec la curiosité insolente et glacée d'un passant. Je les voyais de très loin, de très haut. Ils grimaçaient, babillaient, vivotaient dans un monde dont je m'étais enfui et qui demeurait sans liens avec celui où j'avais cherché refuge. Ils donnaient de l'importance à des questions que l'éloignement me révélait futiles, affichaient des joies et des tristesses éclatantes pour des objets qui ne les méritaient pas, prenaient grand soin de me cacher les vérités que j'avais depuis longtemps découvertes, s'agitaient mesquins, ignorants, débiles et pleins d'une suffisance qui ne me révoltait plus.

Tous les matins, Gisèle arrivait fardée et sautillante, pendant que mon père et moi prenions notre petit déjeuner dans la cuisine. Elle nous regardait manger avec une tendresse amusée. Parfois, elle jouait la convoitise :

« Z'en veux auzi! »

Elle mâchillait une tartine de confitures. Puis, elle tendait les doigts à mon père en gémissant :

« Je mange comme une petite sale... »

Mon père essuyait les phalanges l'une après l'autre, d'un air grave, pendant qu'elle lui chatouillait la paume de la pointe de l'ongle.

« Et ça? » disait-elle ensuite.

Et elle tendait ses lèvres jusqu'à découvrir leur revers luisant. Mon père s'approchait, tapotait la bouche offerte avec sa pochette de soie. Elle en profitait pour lui baiser les doigts furtivement. Il se relevait, un peu pâle, secouait le mouchoir maculé de fortes empreintes, disait d'une voix étranglée :

« Tu te mets trop de rouge. » (Ils se tutoyaient à présent.)

Elle fixait sur lui des yeux d'un azur innocent :

« Trop? Ça ne te plaît pas? Regarde! »

Et, lui tirant le mouchoir de la poche, elle effaçait les derniers vestiges du fard.

« Est-ce que c'est mieux ainsi? »

Il riait :

« Tu as l'air d'un garçonnet malade...

— Alors! Tu vois que j'avais raison! »

Elle se remaquillait avec des gestes lents et harmonieux, pendant que son parfum s'alourdissait autour de nous. Puis, elle se dressait d'un bond. Et en se dressant elle frôlait mon père de la hanche, ou le balayait d'une envolée de jupe. Elle avait un constant besoin d'être près de lui, contre lui. Elle épiait sur son visage les marques d'un désir qu'elle prenait pour de l'amour. Elle triomphait au moindre chevrotement de sa voix, au moindre frisson de ses joues. Elle s'appliquait, nerveuse, opiniâtre. Si mon père lisait un journal, elle rôdait autour de lui, inquiète de ce détachement. Elle remuait des objets, toussotait, chantonnait pour attirer son attention. Et, lorsqu'il levait les yeux, elle multipliait les moues et les œillades, faisait jouer son corps grêle qui s'étirait, se pliait, roulait sous la robe, exhalait de moites senteurs, offrait à portée de la main de quoi tirer mon père de sa lecture. S'il parlait d'aller rendre visite à des amis, elle avançait une lippe boudeuse :

« Moi, je n'irai pas chez Ménard.

— Pourquoi?

— Il a l'air d'un gros singe malsain et il tourne toujours autour de moi...

— Tu dis des bêtises...

— Et puis il fait chaud. Tu ne trouves pas qu'on est mieux ici? »

Elle croisait les mains derrière sa nuque et laissait glisser ses courtes manches, jusqu'à découvrir deux aisselles creuses, polies et d'une pâleur abritée.

« Zizi a'meil. Zizi veut rester! » zézayait-elle avec des mines de fillette fautive.

Mon père protestait sans entrain. Il disait des choses très sensées avec des yeux qui ne l'étaient plus. Enfin, il concédait :

« Viens, j'ai des lettres à te dicter. »

Et, sur ce mensonge qu'ils jugeaient impénétrable, ils s'enfermaient dans sa chambre jusqu'au soir. Ils en sortaient blafards et assagis. Mon père parlait avec une raison dégagée de la nécessité qu'il y avait à réduire les dépenses. Gisèle l'écoutait, chastement appuyée à son épaule. Elle l'approuvait à petits coups de menton. Après le dîner, elle déclarait :

« Allons travailler à la crème. »

Car ils travaillaient à la crème depuis près de deux semaines, sans parvenir au résultat qu'ils espéraient. Pour l'instant, la « Neige de Pompéi » était un liquide épais et jaune où des grumeaux de poudre refusaient de se diluer, et qui sentait l'huile rance. Gisèle affirmait que la seule addition d'un certain « White Horse Cold Cream » aurait suffi à transformer en mousse onctueuse le bouillon nauséabond qui moisissait au fond de nos casseroles. Mais, le « White Horse Cold Cream » ne se vendait qu'en Angleterre. Il fallait écrire pour le commander. Mon père se chargea de la lettre. En attendant la réponse, Gisèle venait chaque soir dans la cuisine pour remuer la liqueur avec une palette de bois et murmurer, les narines pincées sur la puanteur fade qui s'en dégageait :

« Une petite cuillerée de « White Horse Cold Cream »... Une seule petite cuillerée... »

C'était ce qu'elle appelait travailler à la crème.

*

Un jour, mon père entra dans ma chambre pendant que je lisais. Il dit :

« Gisèle ne viendra pas aujourd'hui : sa mère, sa tante ou sa grand-mère, je ne sais plus, est tombée malade.

— Ah! »

Et je me remis à lire.

« Qu'est-ce que tu lis? dit-il encore.

— Rien... des vers...

— C'est bien? »

Il parlait avec moins d'assurance et plus rapidement que d'habitude. Il enroulait son mouchoir autour de son poignet, le déroulait, le modelait en boule. Il étalait à petits coups de talon les franges emmêlées d'une carpette. Visiblement, il luttait contre une gêne inconnue, que mon refus d'accepter la conversation ne faisait qu'augmenter. Brusquement, il se planta devant moi :

« Que penses-tu de la crème de beauté? dit-il. Je ne veux pas de réponse à la légère. Réfléchis avant de parler. »

Mais, comme je me bornais à mâchonner des phrases incomplètes, il préféra exprimer par lui-même les sentiments que je ne devais pas manquer d'éprouver :

« Une erreur... Tu trouves que c'est une erreur!... Et je suis de ton avis... Mais pourquoi est-ce une erreur? »

Il érigea un doigt sentencieux :

« *Primo,* parce que la crème de beauté n'intéresse qu'une clientèle restreinte. Or, les grandes entreprises sont celles qui reposent sur les masses et non sur les unités. *Secundo,* parce que tripoter parfums, poudres, pâtes n'est pas le métier d'un homme! Je m'abaisse, je m'avilis au contact de ces niaiseries! De l'air! De l'air! »

Et du bras il écarta furieusement d'imaginaires pots de crème. Il ajouta :

« Je n'ai pas écrit en Angleterre (inutile d'en rien dire à Gisèle). Je n'ai pas écrit, parce que j'estime qu'il serait absurde de dépenser de l'argent pour une affaire dont je prévois dès à présent l'échec. »

Il s'assit, noua ses longues jambes aux pieds de la chaise. Il ne lut pas dans mon regard l'indifférence que j'y laissais irrévérencieusement paraître. Il ne soupçonna pas mon absence. Il poursuivit, les paupières finement plissées :

« J'ai trouvé quelque chose de plus intéressant. Ecoute : en ce moment nous sommes sur le point d'assister à la désagrégation du monde actuel. Les raisons? Socialisme, matérialisme, athéisme... Le coup de bélier qui bousculera, jupes en l'air, cette vieille garce d'Europe peinturlurée et malade, d'où viendra-t-il? Du Nord, du Sud, de l'Ouest? Non! Mais de l'Orient, mon cher. De l'Orient où la race jaune se développe silencieusement et puissamment, déborde les frontières, gagne à sa cause les peuples limitrophes qui étaient près de passer à la nôtre et fourbit son attirail guerrier. Les gouvernements englués dans d'infimes luttes parlementaires ignorent le péril, ou le dédaignent. Nous sommes dans un navire dont le capitaine est aveugle et qui file droit sur les rochers. Ne se trouvera-t-il pas un marin pour crier : gare! »

Pathétique, il tapa de son poing droit la paume de sa main gauche.

« Je serai le marin qui crie : gare. J'écrirai un livre où je dénoncerai crûment la menace! Je le lancerai à grand renfort de publicité! Ah! je vois d'ici la stupeur des bonnes gens : « Quoi? Le péril jaune? Attaqués? « Par où? Comment? Et nous qui étions là bien tran- « quilles! Et c'est dit dans un livre? Et il y a trois « cents pages? Et il ne coûte que quinze francs! Ache- « tons-le, achetons-le! »

Il se tut, à bout de souffle. Après un silence, il demanda :

« Qu'en dis-tu? Ça représente une fortune, cette

idée-là... Pas de frais généraux, pas de matière première! Rien à perdre, tout à gagner! Je peux me vanter de savoir changer mon fusil d'épaule! »

Il sortit un calepin de sa poche, le feuilleta :

« Voici comment j'envisage la chose. Il faut battre le fer pendant qu'il est chaud. Je te dicterai l'ouvrage. Tu tâcheras d'écrire lisiblement et sans fautes d'orthographe. Ensuite, je relirai, je corrigerai et tu porteras le livre à la dactylo. Nous pourrions commencer aujourd'hui, tout de suite. Tu as du papier, de l'encre?

— Oui. »

Je m'assis à la table. Il se promenait d'un angle de la pièce à l'autre. Il dicta :

« Préface... En guise de préface... non, simplement préface, c'est plus sérieux... Préface... Si l'on essaie de se détacher... Je ne dicte pas trop vite... Des manifestations directement extérieures... Est-ce qu'une manifestation n'est pas toujours extérieure?... Souligne le mot, je saurai qu'il faut vérifier... Extérieure, tu y es?... des peuples européens... et qu'on se reporte... »

Il colla son front à la vitre :

« Il pleut, dit-il... Ce matin, le ciel était bleu et maintenant il pleut... Où en étais-je?

— ... qu'on se reporte.

— Oui... qu'on se reporte aux manifestations parallèles des peuples Scythes, avec un y et un th... on est frappé... frappé est un peu faible... tant pis... frappé de leur dissemblance d'avec les premiers. »

Il se pencha sur moi :

« Ça ne fait pas plus long que ça? Tu n'as rien passé? Bon... d'avec les premiers... Cette dissemblance... »

La porte d'entrée claqua derrière des épaisseurs de cloison et des longueurs de couloir. Une voix piaula :

« Où êtes-vous? Guillaume? Jean? Il y a quelqu'un? »

Il baissa la tête. Il fixa le parquet d'un regard bovin que je lui voyais pour la première fois. Il dit :

« Nous continuerons demain... Je ne veux pas qu'elle sache : à cause de la crème, tu comprends... »

Il paraissait irrité contre lui-même, contre elle. La porte s'ouvrit sur une jeune figure ébouriffée et chaude. Mon père eut un sourire sans joie :

« Nous parlions en t'attendant, tu vois... »

VI

CEPENDANT l'argent se faisait rare à la maison. Il fut décidé que je ne retournerais pas en octobre au lycée Faraday, mais poursuivrais mes études sous la direction de mon père. A cette occasion, mon père me vanta les mérites de l'autodidacte et sa supériorité sur les individus dont la pédagogie scolaire a tué les inclinations naturelles.

Le concierge, n'ayant pas été payé depuis deux mois, refusa de vider notre boîte aux ordures.

« C'était une complaisance que je vous faisais... Pour cinq francs par semaine! Monter, descendre, monter, descendre! J'en ai plein les jambes! »

Il fallut chaque soir envelopper les ordures dans un papier journal, en pressant du genou sur la masse molle pour la réduire, et les porter soi-même à la poubelle commune. Les bonnes que je croisais dans l'escalier de service me dévisageaient en ricanant. A travers les feuillets, le froid gluant des épluchures de légumes me poissait les doigts. Les poubelles étaient dans une courette hantée de chats gras et infirmes. Le concierge la surveillait à travers sa lucarne. Je sentais son regard suivre mes gestes et j'en souffrais.

Envoyé pour chercher des croissants, avec la recommandation de faire porter cet achat à notre nom, je recevais cette réponse :

« Le patron nous a défendu de vous rien vendre à crédit tant que vous n'aurez pas réglé votre note. »

Mon père, à qui je répétais ces paroles, se dépensait en colères bruyantes, parlait d'aller porter plainte au commissariat, d'envoyer des lettres recommandées, ou même par ministère d'huissier, de faire des révélations sensationnelles sur la fabrication malsaine du pain dans l'arrondissement, et finissait par changer de fournisseur.

Les rares pièces d'argenterie, une « salamandre », la bague, le smoking de mon père disparurent. Nos menus furent plus maigres et moins variés. Mon père affirma qu'il adorait les macaronis et les pommes de terre bouillies. Gisèle poussait le raffinement jusqu'à exiger du fromage râpé à tous les repas.

Le courrier, que le concierge ne prenait plus la peine de nous remettre de la main à la main, mais qu'il glissait simplement sous la porte, se faisait de jour en jour plus volumineux. Mon père déchirait les enveloppes avec une fièvre mal déguisée. Gisèle, collée à son épaule, lisait les lettres à mi-voix. Mais lui, jetait un simple coup d'œil sur la signature et résumait sèchement :

« Guillemot... C'est pour les trois mille balles du mois de juin... Il peut toujours se fouiller... Des intérêts usuraires.... »

Ou encore :

« Fabre! Ah! oui! Fabre... Mais je ne lui ai jamais dit que je lui rendrai! Il m'a donné! Il ne m'a pas prêté! Quelle canaille! On est entouré de canailles! »

Il abattait son poing sur la table.

« Ah! si seulement mon affaire pouvait marcher! »

Il ne précisait pas la nature de l'affaire. Ce qui n'empêchait pas Gisèle de murmurer en lui passant la main dans les cheveux :

« Elle marchera... Elle marchera... J'en suis sûre... Et tu sais que l'intuition d'une petite fille ne la trompe jamais... »

Car « l'affaire » était une sorte d'entité permanente, de personne morale, d'institution juridique, indépendante des formes multiples et fugitives que lui imposait la fantaisie de mon père, et qui conservait tout son sens et toute sa dignité dans les cas, de plus en plus nombreux, où le titre d' « affaire » ne recouvrait aucune affaire effective. Bien mieux, Gisèle préférait l'entendre invoquer le mythe inoffensif de « l'affaire » que de le voir feuilleter son carnet d'adresses en marmonnant :

« Où loge cet imbécile de Fisquet? Il m'avait parlé une fois d'un bar-express... »

Car elle savait qu'une entreprise nouvelle la priverait de sa présence quotidienne et le livrerait à la séduction possible d'une autre. Mordue par une jalousie anticipée, elle disait :

« Un bar-express Qu'est-ce que tu veux faire d'un bar-express? Il y en a tant! Et puis ça demande des capitaux! C'est tout de même malheureux qu'il faille que ce soit moi, avec ma cervelle de pinson, qui te signale ces inconvénients! »

Comme elle aurait dit d'une rivale : « Une telle? Mais elle a les cheveux teints et on lui a retendu la peau du cou l'année dernière. »

Et mon père qu'une paresse naturelle incitait à renoncer aux idées aussitôt qu'il les sentait prendre corps et le pousser à des démarches décisives, protestait avec une surprise feinte :

« Tu crois? Pourtant il y en a qui rapportent... »

Et son regard mendiait auprès de Gisèle la justification de sa lâcheté.

« Aucun! Ce sont les marchands de conserves qui les montent à perte pour écouler leurs produits! »

Ces expressions, je la soupçonnais de les avoir cueillies dans les journaux, ou sur les lèvres d'un ancien amant, car elle les récitait les yeux baissés et avec une gêne que ne justifiaient en rien la construction correcte des phrases et la vraisemblance des explications qu'elles proposaient.

« Tu as peut-être raison... En effet... Il vaut mieux être prudent... Surtout à cette époque, disait mon père, d'un air préoccupé, et comme si cette révélation bouleversait tous ses plans. »

Mais un certain tremblement aux commissures des lèvres me révélait qu'il était heureux comme un collégien qu'on a délivré d'un pensum.

Bientôt il se rendit moins facilement aux critiques de Gisèle. Il protestait avec une exagération populacière :

« Qu'est-ce que tu en sais? Occupe-toi de suivre la mode et de soigner ta peau, mais ne viens pas me bourrer le crâne avec des conseils commerciaux! Je ne suis plus un enfant, que diable! Je sais les précautions qu'il sied de prendre! Vraiment, à t'entendre parler on dirait que je n'ai jamais dirigé une affaire! Mais de quoi vivons-nous, sinon de ce que j'ai gagné? Hein? De quoi vivons-nous? »

Elle le regardait avec une tristesse étonnée. Elle oubliait son rôle de fillette espiègle. Devant nous, une femme amoureuse et pitoyable portait les mains à sa bouche, prête à pleurer. Et, comme il craignait de se laisser attendrir par un aussi gracieux désespoir, il braillait de plus belle, les bras en bataille, mais en évitant de la regarder, et, sur une allusion particulièrement blessante, saisissait son chapeau, sa canne, puis nous quittait en coup de vent.

Parfois, lorsqu'elle arrivait le matin, tout égayée par l'approche d'un plaisir casanier et facile dont elle ne se lassait pas, mon père était déjà sorti. Elle errait de chambre en chambre, le regard fixe, raidie et laide dans son chagrin. Elle murmurait avec une voix sans chaleur :

« Il n'a pas dit : « Lorsque Gisèle viendra, tu la « prieras d'attendre? »

— Non.

— Il n'a pas dit quand il rentrerait?

— Non.

— Il n'a pas dit où il allait?

— Non; il n'a rien dit.

— Ah! Bon! D'ailleurs il ne dit jamais où il va... C'est curieux! Comme si je l'espionnais, comme si je l'empêchais de sortir et de rentrer à sa guise!... »

Elle ricanait chichement :

« Mais qu'il sorte, qu'il rentre... Moi, ça m'est égal... Vous pensez bien... Seulement je veux savoir quand je peux le trouver... pour ne pas attendre... Simplement pour ne pas attendre... »

Elle se laissait tomber dans un fauteuil, tirait un carnet de son sac :

« Je vais lui écrire un mot; vous lui remettrez... »

Elle écrivait, penchée sur le papier, le menton pendant, les yeux éteints de larmes retenues. Elle mordillait le rouge de ses lèvres à petits coups de dents. Puis, elle se levait, essoufflée, comme après une course ou un combat, déchirait la lettre en menus morceaux, disait :

« Ce n'est pas la peine... Je reviendrai demain... Je lui dirai demain... Seulement prévenez-le que je viendai... c'est important... »

Elle hasardait un pauvre sourire, vacillait sur ses hauts talons et gagnait la porte sans se retourner.

VII

Nous étions sortis tous trois pour m'acheter des chaussures. Mon père marchait entre Gisèle et moi, sans chapeau, la cravate au vent, les mains dans les poches. Il avait vendu son étui à cigarettes plus avantageusement qu'il ne l'espérait et débordait d'un optimisme gaillard :

« Je ne me donne pas un mois pour être à la tête d'un joli capital! Oui, un mois!... Une semaine pour l'étude proprement technique de l' « affaire »... Deux semaines pour l'organisation... Une semaine pour la publicité.... Qu'est-ce que tu me demanderais, Gigi, si je devenais milliardaire? D'abord un carnet de tickets de métro... Tu n'en as jamais... Hein? Tu te vois avec un carnet de tickets dans ton sac, comme une grande petite fille! »

Comme il riait, Gisèle leva vers lui un visage crispé, maquillé par plaques. Elle dit :

« J'ai quelque chose à acheter; des boutons... oui, des boutons. Il n'y a pas une mercerie par ici?

— Sur le trottoir d'en face.

— Non, pas à celle-là... Plus loin... Au bout de l'avenue... Tu ne connais pas?...

— Non. »

Mon père avait pâli. Son regard oscilla un instant entre Gisèle et moi, et s'arrêta sur la pointe de ses souliers. Il ramena l'air dans ses poumons avec lenteur. Il répéta :

« Non... D'ailleurs, il serait stupide d'aller jusqu'au bout de l'avenue lorsque tu peux trouver ce qu'il te faut dans la mercerie d'en face.

— Justement, dans la mercerie d'en face je ne trouverai pas ce qu'il me faut, dit Gisèle, en découpant chaque parole avec une petite voix métallique que je ne lui connaissais pas.

— Ah! » souffla mon père.

Gisèle se remit à marcher. Mon père la suivait, la mâchoire tremblante, le front moite. Il faisait de grands gestes maladroits. Il ronchonnait :

« C'est ridicule!... Pourquoi aller plus loin quand il y a une mercerie ici?... Pourquoi absolument l'autre?... Pourquoi pas celle-là, mais l'autre?... Je suis bien bon de te suivre!.... »

Elle ne répondait pas. Elle avançait d'une démarche menue et rapide. Elle arriva devant la mercerie.

« Entrons. »

Puis, se tournant vers moi :

« Voulez-vous nous attendre un instant, Jean. »

Je fis mine de m'éloigner, mais je revins aussitôt sur mes pas et suivis la scène par la porte entrebâillée. La boutique était longue, sombre et encombrée d'un interminable comptoir. Des boîtes, soigneusement étiquetées et munies de bouclettes de cuivre, carrelaient les murs. Des mètres en étoffe cirée pendaient sur une tringle, comme des serpents desséchés. La mercière était une petite femme ronde, lisse et blanche, aux noirs bandeaux lustrés. En apercevant mon père et Gisèle, elle eut un mouvement de recul. Puis elle demanda :

« Vous désirez?

— Je voudrais des boutons de nacre bleu clair, ce que vous avez de meilleur marché », dit Gisèle, avec une simplicité parfaite et en la couvant des yeux.

La mercière gagna le fond du magasin. Mon père s'épongeait la nuque avec son mouchoir. Il murmura :

« Ça m'a l'air mal approvisionné, cette mercerie... Partons!

— Mais non. Je suis sûre qu'elle aura ce que je veux. »

La mercière revint, déballa des cartons d'échantillons. Gisèle les prenait un à un, les retournait, les inclinait pour que la lumière du jour vînt jouer sur leur surface brillante, hochait la tête :

« Non, c'est trop cher.

— Et celui-ci?

— Ce n'est pas la teinte qu'il me faut.

— Et celui-ci?

— Ce n'est pas la taille qu'il me faut.

— Et celui-ci?

— Il est à quatre trous et j'en voudrais à deux... »

La mercière, infatigable et placide, entassait les boîtes les unes sur les autres. Gisèle avança la main, heurta comme par mégarde un couvercle qui dépassait, l'échafaudage branla du faîte à la base et s'éboula d'un bloc. Les boutons éparpillés émaillèrent le parquet, comme des confettis multicolores un jour de fête. Devant ce désastre, Gisèle eut un sourire angélique et soupira :

« Oh! Pardon, madame! Mais peut-être en avez-vous en galalithe? »

La mercière mordit ses lèvres et se passa la main sur le front.

« Je vais voir, madame. »

Mon père, assis à croupetons, rassemblait les boutons épars.

« Laisse donc! Tu es grotesque! » dit Gisèle.

Mais il était heureux d'avoir trouvé cette occupation qui lui donnait une contenance, et feignit de n'avoir pas entendu.

Les boutons de galalithe ne satisfirent pas Gisèle. Et ceux de corne et ceux de verre qu'on lui présenta ensuite, non plus. Elle était debout devant le comptoir, la tête haute, le torse raide, dans une attitude gourmée qui la gênait elle-même. Elle dit avec un mépris agressif :

« Si j'avais su! Mais vous n'avez rien dans votre boutique! Des fonds de tiroirs! Je ne vous fais pas mes compliments! »

La mercière soutint son regard et répondit avec fermeté :

« Mes clients se sont toujours contentés de cet assortiment, madame...

— Vos clients! Vos clients! Je les connais vos clients! Ils ne viennent pas pour la marchandise, mais pour la marchande! »

Mon père s'était levé, le visage décoloré, les prunelles affolées. Il bégaya :

« Voyons, Gigi...

— Laisse-moi! jappa Gisèle! Tu ne vas pas la défendre, maintenant? Non? »

Elle eut un rire glacé, les narines battantes, les mains aux hanches :

« Ha! ha! madame vent des boutons à son comptoir et de l'amour dans l'arrière-boutique!

— Taisez-vous! ordonnait l'autre, blême, hagarde et d'une voix plus implorante qu'impérative.

— De l'amour dans l'arrière-boutique! glapit Gisèle, jusqu'à en avoir des larmes plein les yeux. Je me gênerais, peut-être? Et pour qui est-ce que je me gênerais? Pour lui?

— Oui, pour moi... », interrompit mon père, assez malencontreusement.

Elle marcha sur lui. Elle hoquetait, cherchant des injures sanglantes :

« Pour toi?... Mais... Mais je te déteste!... Tu... tu es une loque!... Tu n'es pas un homme!... Tu ne m'aimes pas!...

— Madame, sortez d'ici! gémissait la mercière... Vous êtes ici chez moi!... Je vous défends!... Sortez d'ici!... »

Gisèle se retourna. Elle faisait front des deux côtés. Elle appelait la bataille.

« Que je sorte d'ici? Ah! mais non! Ah! mais non! Ça serait trop commode! Madame aguiche les passants, Madame brise les ménages, Madame... Madame... et quand on vient s'expliquer : « Sortez « d'ici! » Ah! mais non! »

Elle secouait la tête, ricanait, renâclait, suffoquait, les deux poings contre la poitrine, les lèvres hargneusement retroussées :

« Vous croyez que je ne les connais pas toutes les cochonneries que vous faites dans mon dos? Parfaitement! Vous croyez que je ne sais pas qu'il attend sur le trottoir d'en face, derrière un arbre, comme un galopin, et que vous lui faites signe quand il n'y a plus de clients dans votre sale boîte? Vous croyez que je ne sais pas que vous prenez le thé dans l'arrière-boutique... sur ses genoux... dans la même tasse... et que vous faites l'amour tout habillés, parce que vous avez peur de l'acheteur qui peut entrer d'un moment à l'autre?

— Reprends-toi... Gigi... Reprends-toi... Ne l'écoutez pas, Hortense... Elle ne sait plus ce qu'elle dit... La colère l'aveugle », bredouillait mon père en agitant les bras.

De rapides soubresauts secouaient les épaules de la mercière. Mais elle ne pleurait pas. Elle répétait, affaissée sur elle-même :

« Sortez... Mais sortez donc!... »

Gisèle jeta son sac par terre :

« Vous croyez que je ne sais pas?... Mais... Mais vous êtes laide!... Vous avez la peau grasse!... Vous êtes sale!... Vous... vous sentez mauvais!... »

Mon père lorgnait la sortie.

« Des passants peuvent entrer... Tais-toi, Gigi... Sois raisonnable... Mettons fin à cette scène pénible...

— Qu'ils entrent! Qu'ils entrent tous! » clama Gisèle dans un superbe élan oratoire. Mais une quinte de toux l'obligea à siffler le reste de sa phrase :

« Qu'ils entrent!... Ils me comprendront!... Ils m'approuveront!... Ils diront comme moi... que celle-là... »

D'un doigt tremblant elle désigna la mercière :

« ... Que celle-là est une traînée!... Oui, madame!... Une traînée!... Une grue!... Une garce!... Une poufiasse!... Une roulure!... Une gouape!... Une... une gouape!... Voilà ce que vous êtes!... »

Elle trépignait sur place. Elle lui criait dans la figure comme si elle allait la mordre. Et, soudain, sa main droite, lancée à bout de bras, claqua la joue blanche et dodue de la mercière, s'empêtra dans les bandeaux, ébouriffa, griffa, pendant que la victime haletait en se débattant : « Mais elle est folle!... folle », et que mon père gagnait la porte à petits pas en répétant :

« Gigi... Gigi... Je te défends... »

Puis, il sortit.

« Je crois qu'il vaut mieux que je m'en aille, dit-il. Elles s'entendront mieux sans moi. »

Il était luisant de sueur. Ses paupières battaient. Il souffla :

« Ouf!

— Guillaume! appela la voix éperdue de Gisèle.

— Dépêchons-nous », dit mon père.

Et nous nous éloignâmes. Il marchait vite. Il se retournait fréquemment.

Nous ne revîmes plus Gisèle.

VIII

Je fus tiré de mon sommeil par un chuchotement éploré qui venait de la chambre voisine. Je reconnus la voix de la mercière :

« Non, Guillaume... N'insistez pas... Il vaut mieux nous quitter... Votre conduite d'hier m'a déçue...

— Mais pourquoi? Pourquoi, Hortense? Expliquez-vous.

— Vous le demandez! Cette femme... cette...

— Ah! rugit mon père. Ne prononcez pas son nom devant moi!

— Cette femme, reprit Hortense, elle m'a injuriée, giflée, et vous êtes resté sans intervenir... et vous êtes parti... Je n'aurais pas cru ça de vous, Guillaume!

— Ça par exemple! s'indigna mon père. Je m'attendais à tout sauf à des reproches. J'avais conscience d'avoir agi en gentleman... et voilà que... »

Et, comme elle ne répondait pas, il poursuivit avec une tendre lenteur :

« Mais comprenez donc, ma petite Hortense... Si je

me suis retiré, c'est uniquement par délicatesse. Ma présence incitait cette folle aux pires écarts. J'étais le fouet sur ses reins, la poix sur sa blessure, le vinaigre sur sa langue. Je lui rappelais un passé qu'elle s'irritait de ne pouvoir reconquérir.

— Oui... oui... balbutiait Hortense mal convaincue

— Et puis, n'auriez-vous pas souffert de savoir que j'avais assisté jusqu'au bout à une scène aussi pénible, que j'avais entendu toutes ses injures, vu tous ses gestes... Ah! si je n'avais écouté que mon désir, je serais resté... j'aurais protesté... Et... avouez-le, vous m'en auriez voulu...

— Mais non, Guillaume. Comment pouvez-vous dire... »

Il ne l'écoutait pas :

« Vous m'en auriez voulu! Alors, j'ai ravalé les menaces qui me montaient aux lèvres! J'ai maîtrisé mes mains prêtes à lutter! Quel effort ne m'a-t-il pas fallu pour surmonter mon ressentiment! J'ai cru d'abord que je ne saurais pas... Et puis mon amour pour vous a opéré le miracle... Je suis parti...

— Oh! Guillaume... »

L'intonation qu'elle donna à ces paroles hésitait entre la tendresse, la surprise et le reproche.

« Je suis parti... J'endormais mon dépit en me répétant que vous me sauriez gré de ma maîtrise. J'espérais votre venue comme une récompense. J'imaginais les phrases reconnaissantes que vous me diriez... Et voilà que... Comme c'est laid, Hortense, comme c'est laid! Ne dites rien... Vous êtes une ingrate! »

Et il ajouta, la voix caressante :

« Chère petite ingrate... Elle ne m'a pas compris... Elle m'a fait de la peine... Oui... Oui, sans le vouloir, je suis d'accord... Mais comme il faudra qu'elle m'aime pour que je lui pardonne... »

*

Elle paraissait écrasée par la supériorité indéchiffrable de mon père. Elle ne pouvait s'habituer à l'idée qu'il l'avait choisie parmi tant de femmes intelligentes et belles pour en faire sa maîtresse. Elle se jugeait au-dessous de son rôle. Seul un zèle de tous les instants la sauverait, pensait-elle, d'une rupture certaine. Et elle s'appliquait amoureusement à se rendre indispensable. Pendant tout le repas (nous déjeunions à la mercerie et dînions à la maison) elle ne lâchait pas mon père du regard. Elle épiait sur son visage les signes de la satiété. Elle lui recommandait avec douceur de ne pas « avaler tout rond » et de ne pas « boire sur du gras ». Elle analysait les qualités laxatives ou constipantes de chaque aliment, détaillait avec une complaisance irrévérencieuse les accidents probables de leur digestion, et s'efforçait de les conjurer par des remèdes étranges dont elle se refusait à nous livrer la formule. Aucune précision matérielle ne lui paraissait répugnante lorsque la santé de mon père était en jeu. Il ennoblissait tout. Parfois, mon père s'endormait dans un fauteuil, après dîner. Hortense considérait avec un ravissement maternel cette sieste dépoitraillée et ronflante d'homme mûr. Elle glissait un coussin sous la tête congestionnée, ballante, et dont la bouche ouverte cherchait l'air. Elle disposait sur la table, à portée de sa main, un verre d'eau bouillie et rafraîchie, un sachet de bicarbonate de soude, les journaux du soir. Si j'étais dans ma chambre, elle m'appelait :

« Monsieur Jean! »

Elle s'était toujours refusée à m'appeler Jean tout court, comme mon père l'en priait.

« Monsieur Jean! Venez voir votre père qui dort! On dirait un enfant! »

Et, comme je m'avançais, elle disait avec un air de doux reproche :

« Oh! Monsieur Jean! Je vous avais pourtant recommandé de mettre vos pantoufles pour ne pas l'éveiller...

— La semelle est partie. Je les ai jetées...

— Et celles de votre père?...

— Elles sont déchirées.

— Déchirées? Pourquoi ne me l'avez-vous pas dit plus tôt? »

Et aussitôt elle les recousait. Nul travail ne lui semblait pénible ou dégradant lorsqu'il tendait à la perfection de son bien-être. Elle réclamait comme une faveur la permission de laver son linge, de repriser ses chaussettes. Elle faisait son lit selon une méthode qui lui était propre et dont elle tirait vanité. Chaque soir, avant de nous quitter, elle bassinait les draps avec une énergie sévère de *nurse*. Et encore, sur le pas de la porte, elle le suppliait de ne pas « lire à l'électricité » pour ne pas se « faiblir les yeux », et de manger à son réveil les pruneaux quelle avait mis à tremper dans un bol de thé.

Mon père appréciait l'indéfectible servilité de sa maîtresse. Il souriait d'aise à la voir tourner autour de lui, bienveillante, affairée et dodue, retapant un coussin au passage, grattant une tache sur le revers de son veston. Choyé, gavé, encensé par elle, il se complut dans une inaction qu'il affirmait riche d'idées, Une profonde et stagnante tendresse conjugale relâcha les traits de son visage. Il engraissa.

Seules les lettres de plus en plus nombreuses qu'il recevait l'empêchaient d'être complètement heureux. Il les décachetait avec rage :

« A la gorge! Ils vous prennent à la gorge! »

Bientôt, les visites remplacèrent les lettres. A chaque coup de sonnette, mon père tressaillait :

« Je ne suis pas là », soufflait-il.

Mais, l'inconnu rageur et sec à qui je répétais ces paroles avait un rire agacé :

« Allons donc! Je l'ai entendu causer avec vous dans la pièce voisine! Avec ces maisons de carton... »

Mon père passait la tête par l'entrebâillement de la porte et s'exclamait avec une molle gaieté :

« Tiens! Guillemot! Ah! si j'avais su que c'était vous... J'avais dit... parce que je suis malade... Mais pour vous il n'y a pas de consigne... »

Ils passaient dans sa chambre. J'entendais Guillemot glapir des menaces chiffrées, taper sur les tables, marcher à grands pas. Mon père bégayait :

« Ne vous fâchez pas, Jules... Vous avez raison... Mais mettez-vous à ma place... Accordez-moi un délai... Dans votre intérêt comme dans le mien... Notre amitié... Mon respect pour... »

Certains de ces créanciers étaient misérablement vêtus et s'essuyaient longuement les semelles au paillasson. Mon père les recevait dans l'antichambre. Il leur parlait avec une impertinence princière :

« Vous n'avez pas le sou? Qu'est-ce que vous voulez que ça me foute? Vous avez été assez stupide pour faire un retrait de provision, prenez-vous-en à vous-même!... Les affaires sont les affaires!... Allez à l'école!... »

D'autres, et c'étaient les plus redoutables, refusaient d'entrer, de s'asseoir, de fumer la cigarette qu'il leur offrait. Le chapeau sur la tête, ils l'écoutaient justifier sa conduite, promettre, jurer. Puis ils présentaient un papier à sa signature. S'il le repoussait, ils n'insistaient pas. Ils se retiraient, souriants et terribles. Ils refermaient la porte sur eux, doucement.

Et aussitôt, Hortense volait au secours de mon père effondré, lui prodiguait breuvages et sourires, et l'écoutait se lamenter sans le comprendre, mais en l'approuvant par de brèves sentences, telles que :

« Le monde est devenu fou. Tous les gens sont méchants comme des chiens. Ils ont les yeux plus gros que le ventre. Laissez-les dire : brebis qui bêle perd sa goulée. Toutes ces fripouilleries ça finira bien par leur retomber sur le nez. »

En vérité, elle ne prit conscience de notre gêne que le jour où, après trois avertissements de « la Compagnie », le gaz fut coupé dans l'appartement. Elle tournait les robinets du fourneau, s'irritait de n'entendre plus le sifflement familier, tapotait le compteur. Elle disait que c'était « inhumain d'empêcher les pauvres gens de manger » et que « sans doute ils ne savaient pas à qui ils avaient affaire ». Enfin elle remit à mon père deux cents francs dans une enveloppe. Elle rougissait de son audace. Mais il accepta.

Pourtant, comme au bout d'une semaine le gaz n'était pas encore rétabli, elle s'enhardit jusqu'à lui demander s'il avait versé le solde à la Compagnie. Il se frappa le front. Il s'excusa en riant. Il avait oublié de nous raconter un événement qui cependant allait bouleverser notre vie. Le jour même où Hortense lui avait remis cet argent, il avait rencontré Fisquet. Le bonhomme, après avoir arrondi son capital en vendant du yaourt fabriqué par les autres, entreprenait maintenant de fonder une agence de police privée. Il lui manquait deux cents francs pour l'impression de certaines fiches où les détectives inscrivaient leurs observations. Pouvait-il les lui refuser? D'ailleurs, malgré la modicité de cet apport, Fisquet le considérait dès à présent comme son associé. Il le chargeait de l'organisation technique de l'entreprise. Il y avait là de fortes sommes à gagner. Bien sûr, le métier n'était pas des plus propres, mais la filature, avec ses risques, ses ruses et sa fièvre, l'avait toujours passionné.

Hortense l'interrompit d'une voix précautionneuse :

« Tout de même, Guillaume, ce n'est pas bien de n'avoir pas payé le gaz... »

Il se fâcha gentiment :

« Quelle sotte tu fais, Hortense! Comment? Je renonce au gaz, par conséquent au confort, au bien-être, je me prive, je me sacrifie, tu m'entends, je me sacrifie pour lancer une affaire, et tu me reproches ce sacrifice?... C'est plus fort que tout!... Je ne te gronde pas, parce que ton étonnement témoigne d'une intention louable. Tu ne voulais pas me faire de peine.

J'en conviens. Mais, dorénavant, surveille-toi. »

Elle ne protesta pas. Mais, au bout de trois jours, un employé de la Compagnie vint rouvrir le gaz. Mon père entra dans la cuisine comme l'homme se retirait en touchant sa casquette. Il demanda :

« Tu as payé directement?

— Oui.

— Parfait! Tu ne veux pas me confier d'argent?... Tu as peur que je ne le dépense..: que je ne te vole?... Parfait!... »

Et il sortit en grommelant des injures. Elle demeura un instant les yeux arrondis de candeur. Puis elle dit :

« Monsieur Jean... Vous avez vu... le pauvre! Je comprends très bien qu'il souffre de ne rien gagner par lui-même... Il est tellement susceptible!... C'est une conscience!... »

Je ne voulus pas la détromper.

•

La porte de l'arrière-boutique franchie, un spec tacle inattendu nous frappa de stupeur. La table avait été dressée au centre de la pièce, et non plus dans le coin obscur, près du bahut. Une nappe aux plis gla cés remplaçait la toile cirée à carreaux jaunes et blancs, des serviettes pliées en bonnet d'évêque coiffaient des assiettes à double filet d'argent que nous ne connaissions pas, et des coupes hautes et frêles entouraient une bouteille de champagne cachetée d'un or généreux.

« En quel honneur? » s'exclama mon père.

Hortense souriait d'un air impénétrable, modeste et satisfait.

« Ta fête?

— Non.

— Ma fête?

— Non.

— Alors?

— Une grande, grande nouvelle.

— Bonne? »

Elle acquiesça de la tête. Il exécuta une sorte d'entrechat, la saisit par les poignets, la serra contre lui :

« Parle vite, je suis affamé et je ne veux pas manger avant de savoir.

— Guillaume!... Laissez!... Devant M. Jean!... »

Elle rougissait toujours de ses effusions bruyantes en public. Elle se dégagea. Elle dit avec une tendre majesté :

« Guillaume, vous allez me remercier : je vous ai trouvé une place. »

Elle baissa les paupières, consciente de sa bonne action, et attendit les compliments qu'elle avait mérités. Mais un long silence prolongea ses paroles. Mon père, les bras ballants, la tête avancée, la considérait avec fixité. Je le devinais épouvanté par l'image de cette vie ponctuelle qu'elle avait d'un mot suscitée en lui. Il cherchait une réponse tonnante. Ses lèvres frémissaient.

« Tu es folle », dit-il enfin avec une lenteur terrible.

Elle leva les yeux, le vit, ouvrit la bouche comme pour crier et marmonna d'une voix éteinte par la peur :

« Qu'avez-vous, Guillaume?... »

Il fit un pas, buta contre la table :

« Tu es folle!... »

Et, tout à coup, il se mit à hurler :

« Au moment où mon affaire est conçue, montée! Au moment où seules des questions de détail retardent encore son lancement! Au moment où notre vie grâce à ma présence d'esprit va peut-être virer de bâbord et cingler vers la fortune! Au moment où j'ai le plus besoin d'avoir les mains et le cerveau libres de toutes fadaises pour lutter corps à corps avec la difficulté! A ce moment, tu oses... »

Il eut un rire amer qui lui brida les yeux :

« Tu oses, toi qui te sacres ma compagne... Tu oses venir me proposer une quelconque place de six cents francs!...

— Huit cents, renifla Hortense.

— Tu oses me lier à la galère des salariés! Tu oses me pousser dans la vase d'une administration de dixième ordre! »

Il se tourna vers moi :

« Tu as déjà vu ça, toi? Mais sais-tu, pauvre idiote, que mon plus grand ennemi n'aurait pas inventé un coup plus effroyable que celui que tu viens de me porter!

« Je voulais vous aider, balbutia Hortense, prête à fondre en larmes.

— M'aider? Singulière façon de m'aider, vraiment, que de me faire un croche-pied à un mètre du but! Car c'est un croche-pied que tu m'as fait, pas autre chose!... »

Il s'éloigna de la table et s'adossa au mur, les bras noués sur la poitrine, solennel, comique dans sa victoire facile. Elle profita de cette accalmie pour jeter avec précipitation :

« Si vous avez besoin d'argent pour votre police privée... »

Elle crut l'avoir attendri et qu'une réconciliation allait suivre :

« Quelle police privée? » dit-il avec une surprise sincère.

Et elle comprit qu'il avait abandonné ce projet

pour un autre. Elle regretta ses paroles. Elle voulut se rétracter humblement. Mais il vociférait déjà, la face incendiée :

« Ah! Ça, c'est le bouquet! Tu me reproches de n'avoir pas donné corps à cette idée absurde! Je vais de l'avant et tu me tires en arrière! Tu entraves mon essor! Tu es le boulet rivé à mes pieds! Maintenant, si je rate cette affaire, ça sera de ta faute! Et je la raterai! Tu peux en être certaine! Et nous crèverons tous dans la mouise! Et... Et... Et je ferai exprès de la rater, ne serait-ce que pour te mettre le nez dans ton ordure! »

Elle pleurait, les épaules remontées, les mains sur les yeux, avec juste la pointe de son nez qui passait entre deux auriculaires. Je fus émus, malgré l'indifférence méchante où je me croyais emmuré. Je songeai qu'elle avait amoureusement arrêté le menu, choisi les vins, dressé la table, pour fêter ce jour tant espéré de leur liaison et qui s'avérait le plus laid, le plus irréparable, le dernier sans doute. J'avais été comme elle devant mes illusions perdues. Tous ceux qui s'étaient attachés à mon père avaient été comme elle.

« Quand on est bête on reste dans son coin!... On ne vient pas empoisonner les autres!... Un esprit mesquin de boutiquière!... Qu'est-ce qui m'a poussé à me coller avec une buse pareille! »

Il passa un doigt dans son faux col. Les artères de

son cou battaient comme deux cordes qu'on tire et qu'on relâche. Il claquait des dents :

« Et puis d'ailleurs, j'en ai plein le dos!... Ça n'a que trop duré, cette histoire!... Il vaut mieux que ça finisse!... J'avais toujours cru que toi et moi... Bonsoir!... Adieu!... »

Le soir même, mon père parla longuement et avec amertume du resserrement du crédit, de son isolement moral et de « l'impossibilité qu'il y a pour un arbre, si vigoureux soit-il, à pousser sur un fond de sable ». Enfin, il se retira dans sa chambre et me pria d'avoir à me tenir à sa disposition pour lui porter une lettre à la poste. La lettre qu'il me remit au bout d'une demi-heure était pesante et généreusement affranchie. Une fois dans la rue, je lus l'adresse : elle était destinée à ma tante.

IX

Les créanciers multipliaient leurs visites. Mon père affolé quittait la maison de bonne heure le matin et ne rentrait que tard dans la soirée :

« Tu leur diras que je suis parti pour un voyage : Vienne, Berlin... »

Mais ceux à qui je récitais cette phrase m'écartaient du bras et passaient dans sa chambre en disant :

« Ne te fatigue pas, mon bonhomme... Ça ne prends pas avec moi... Je vais l'attendre... »

Certains jours, ils se retrouvaient à quatre ou cinq dans la même pièce. Ils liaient connaissance sur le dos de leur débiteur. Je les entendais discuter, tousser, cracher, bourrer la table de coups de poing. Et le nom de mon père s'élevait dans ce vacarme, accompagné d'épithètes désobligeantes. A neuf heures, ils partaient, après avoir épinglé des billets menaçants sur le bureau.

Parfois, aussi, la journée s'écoulait sans que personne ne vînt. Et je redoutais le silence de l'appartement vide plus que l'injurieux tapage de ces inconnus. J'errais de chambre en chambre, fermant les portes avec soin, tassant les journaux éparpillés sur les tables, alignant les sièges contre les murs, occupant mes mains à mille travaux absurdes. A midi, je mangeais du jambon, des œufs. Puis je reprenais ma promenade. J'avais beau me répéter que j'étais bien heureux de m'être délivré de mes emportements, que désormais j'allais jouir de mille choses dont la *présence* de mon père m'avait détourné, et que la vie commençait à peine, ce désœuvrement sentimental me pesait. Je souffrais bizarrement de ne savoir qui admirer ou haïr. Je me débattais dans le vide à la recherche d'un ami, d'un ennemi, de quelqu'un. Je fouillais désespérément ma solitude. Même je regrettais le temps où, vivant chez ma tante, je passais d'interminables soirées à rappeler le souvenir merveilleusement consolant de mon père, à m'y pelotonner comme dans un nid cimenté à ma taille et d'où personne ne pouvait me déloger. Quelle sécurité n'avais-je pas goûtée au creux de ce refuge! Je narguais l'ennui, la détresse et les conventions humaines. J'étais fort, lucide. J'espérais.

A présent... Par grosses gouttes fainéantes la pluie tapait les vitres. L'ombre émoussait les coins. Le jour mourait en flaques blêmes sur le parquet mal ciré, face à la fenêtre. Je collai mon nez aux carreaux. Les trottoirs grouillaient d'une humanité trottinante, louche, lasse, sale. Des phares glissaient, jaunes dans le soir à peine gris. Des affiches lumineuses incendiaient tragiquement de paisibles façades. Les agents relevaient les capuchons de leurs pèlerines. A l'étage supérieur un piano jouait. Je me sentais trahi, appauvri, diminué. Je désirais tellement communiquer avec n'importe qui, sortir de moi-même, ouvrir ces barrières que j'avais orgueilleusement dressées et m'avouer vaincu, et être compris sans me faire plaindre. J'espérais tellement la chaleur d'une communion que, lorsque la clef de mon père tournait dans la serrure, une puissante joie me soulevait de terre et me poussait à sa rencontre. Il était légèrement voûté. Il sentait la pluie, le vin. Il soufflait d'avoir monté l'escalier. Il disait :

« Tu es stupide... Tu n'as pas allumé... Personne n'est venu? »

C'était tout. Mais une soudaine répulsion brisait mon élan. Je me rétractais, je me dérobais, je retournais en moi-même. J'étais seul de nouveau. De nouveau nos vies reprenaient côte à côte, étrangères l'une à l'autre, indifférentes l'une et l'autre, avec leurs joies et leurs tristesses propres, et leur mystère. Et le lendemain, je souhaitais encore une sympathie que sa présence me rendait impossible. Et ainsi tous les jours.

•

Un matin, comme mon père se préparait à sortir, après m'avoir indiqué, selon son habitude, les excuses qu'il jugait propres à détourner la colère de ses créanciers, un coup de sonnette l'immobilisa, le chapeau sur la tête et la main au bouton de la porte. Il pâlit. Il chuchota :

« Je file dans la cuisine. Tu leur répéteras ce que je t'ai dit. »

Il s'éloigna sur la pointe des pieds. La sonnette carillonna encore et des doigts impatients tambourinèrent le bois des battants. J'ouvris.

« Frinne! »

Elle avait un ample manteau chocolat à ramages qui l'enveloppait jusqu'aux chevilles et un chapeau mauve, où tremblaient trois cerises à tige de caoutchouc. Elle souriait avec gêne et regardait ses mains que je secouais gaillardement.

« Je venais de la part de madame... pour une lettre... Vous la remettrez à votre père...

— Mon père n'est pas encore sorti. Il sera ravi de vous voir! »

Et j'appelai :

« Papa! C'est Frinne! »

Il jaillit de la cuisine en bolide, se précipita sur elle, avec des éclats de rire et des interjections, lui tapota le dos à l'en faire tousser, lui demanda des nouvelles de ma tante, lui en donna des nôtres, s'exclama sur sa bonne mine, affirma qu'elle ne m'aurait jamais reconnu dans la rue et lui proposa une tasse de café au lait pour la réchauffer. Mais Frinne ne l'écoutait pas. Elle fourrageait méthodiquement dans son sac, bourré de papiers, de mouchoirs, de ficelles. Elle en tira une lettre. Et aussitôt mon père se tut. Il prit l'enveloppe qu'elle lui tendait. Il la décacheta d'un coup d'ongle, en extirpa un rectangle de papier jaunâtre, aux bords festonnés et lut à mi-voix. Et, à mesure qu'il lisait, ses sourcils se rapprochaient, se joignaient, se nouaient, ses lèvres s'affaissaient aux commissures, son menton frémissait par énergiques saccades. Enfin, il replia le feuillet, lentement, le déchira en fines lanières, en menus carrés, en miettes, et laissa couler les débris entre ses doigts écartés. Un silence. Puis il dit :

« Absurde! Cette lettre est absurde! »

Frinne, les paupières basses, se taisait. Il reprit :

« J'exige la vérité. Ma belle-sœur a dû vous charger d'explications complémentaires?

— Non, monsieur.

— Soit. En tout cas, telle que je la connais elle a

dû prendre votre avis avant de rédiger la lettre?

— Non, monsieur.

— Bon. Mais, pour le moins, elle a dû laisser échapper devant vous quelques paroles susceptibles de justifier son attitude?

— Non, monsieur. »

Il hocha la tête :

« C'est bien dommage. »

Mais, soudain, relevant le front et la balayant d'un regard terrible il lança :

« Eh bien, je ne vous crois pas, Frinne! Je ne vous crois pas! Je sais qu'il existe des êtres rétractés dans leur haine, congelés dans leur égoïsme, pétrifiés dans leur avarice; mais citez-m'en un seul dont le cœur ne batte pas à l'appel désespéré d'un frère! Il est des affections familiales que le temps et les rancunes n'effacent jamais! Et le sentiment qui nous unit, ma belle-sœur et moi, est de ceux-là! Vous mentez, Frinne! Vous mentez! »

Raide, le menton haut, les yeux blancs d'horreur, Frinne bafouillait d'incertaines exclamations. Mon père poursuivit :

« D'ailleurs, à quoi bon nier? Vous cherchez à détacher de nous votre maîtresse pour tenter de lui soutirer un testament en votre faveur! « A moi le magot », voilà votre devise! Vous accumulez manœuvre dolosive, sur manœuvre dolosive, captation sur captation

Vous remuez de la boue! Mais ce solide esprit de lucre qui vous anime, je l'ai deviné, vipereau! Et maintenant je vous tiens sous ma botte! Vous avez voulu me mordre, je vous écraserai! »

Un hurlement d'égorgée l'interrompit :

« Vous mordre? M'écraser? Et voilà qu'il me chante ma gamme maintenant! C'est un peu fort! Mais savez-vous que toute ma journée d'hier je l'ai passée à conseiller à madame de vous revoir, de revoir le petit! Et elle de me répéter qu'elle ne voulait pas, que vous n'aviez qu'esbroufe et cacade en tête et pas de cœur avec ça, et que vous l'aviez volée, et que toute votre vie vous aviez volé votre monde, et que le petit ça serait de votre faute s'il devenait un « bavardeur » et propre à rien de ses dix doigts, et que votre pauvre madame c'était vous qui... »

Elle s'arrêta net. Mon père, blafard, suant, les yeux hors des paupières sifflait :

« Filez, ouste, filez... »

Et du doigt il lui désignait la porte. Elle hésita. Il fit un pas sur elle. Elle recula. Il fit encore un pas. Et elle recula encore. Mais en même temps son visage arborait une expression de noblesse triomphante et de glacial mépris qui interdisait d'interpréter cette retraite comme un échec. Enfin, sur le seuil, elle rejeta la tête en arrière, à en faire cliqueter les cerises de son chapeau et, les narines ouvertes, les prunelles fulgurantes, cravacha mon père d'un ultime sarcasme :

« Bien sûr! A blanchir la tête d'un nègre on perd sa lessive! »

Mais, cette fois, le battant lancé à toute volée lui déroba son effet.

X

BIENTOT, la Compagnie d'électricité coupa le courant. Nous nous éclairâmes à la bougie. Nous nous couchâmes tôt. Puis un exploit d'huissier nous menaça de saisie si nous ne versions pas dans la quinzaine le montant des deux termes de loyer que nous devions au propriétaire. Mon père, désemparé, décida de réunir son « conseil de guerre ». Il sortit. Il revint accompagné de deux hommes que je ne connaissais pas. Ils passèrent dans sa chambre. Ils s'assirent à sa table. La flamme des bougies faisait danser des palets d'ombre sous les yeux, dans les oreilles, aux creux des joues et collait des barbiches tremblantes aux mentons. Elle modelait la pâte docile des visages. On avait l'impression d'assister à quelque chose de mystérieux et d'interdit : une conspiration, une séance de magie...

L'un des inconnus (mon père l'appelait Bobillo*)

était un colosse gras et lent à l'opulente chevelure noire, aux yeux féroces. Il paraissait éternellement mécontent de lui-même et des autres, parlait à contre-cœur et par phrases courtes qui l'essoufflaient pourtant. L'autre, Trolette, était petit, desséché, frêle, sautillant, le visage mince et rosé, l'œil mielleux, le nez au vent, la moustache évaporée. Il parlait en grasseyant agréablement. Ce qu'il disait était rarement intéressant mais toujours aimable. Les formules de politesse, les excuses, les compliments, les protestations d'amitié, coulaient de ses lèvres avec une aisance désarmante. On avait l'impression qu'il était à chaque instant pénétré d'admiration pour les autres et de mépris éclairé pour soi-même, qu'il désirait se dévouer corps et âme à ceux qui l'entouraient, et que les minutes qu'il vivait étaient les plus heureuses de son existence. Au plus chaud d'une discussion, il gardait ce sourire déférent qui délestait ses paroles de toute importance.

« Je voudrais avoir encore un renseignement, dit mon père.

— Tous les renseignements que tu voudras, dit Trolette. Tu ne peux pas t'imaginer le plaisir que j'éprouve à te rendre service! Hier encore, je disais à Bobillot : « Comme c'est dommage que Guillaume « ne vienne pas à nous dans l'embarras : j'aimerais « tant lui être utile!» Et voilà que tu es venu! Comme si tu avais entendu mon appel! Ça ne te fâche pas que je te raconte tout ça?

— Nullement... je te remercie, dit mon père.

— Non, non, non!... Ne renverse pas les rôles!... Tu me peines terriblement!... C'est moi qui te remercie!...

— Mais non!

— Mais si!

— Mais, pourquoi?

— Mais, comme ça!

— Alors, le renseignement? s'impatienta Bobillot.

— Voici : est-ce qu'ils saisissent tout le mobilier? demanda mon père.

— Quelle idée! cria Trolette. Mais tu te fais un monstre de la chose! Ils viendront. Ils verront qu'ils ont affaire à un homme remarquable. Si, si, un homme remarquable, qui plus tard pourra leur être utile... Ils feront un simulacre de vente et ils te laisseront... ils te laisseront un tas de choses...

— C'est-à-dire?

— Comme il aime la précision! Tu remarques, Bobillot, comme il aime la précision! C'est admirable! C'est-à-dire : deux lits, une table et deux chaises...

— Pas de table. Pas de chaises, trancha Bobillot.

— Tu vas me trouver bien impertinent de te reprendre, mon cher ami, mais chez moi ils ont laissé la table et la chaise.

— Impossible. Chez moi, tout saisi. Même le bois du lit. N'ont laissé que le sommier. « Vous le ferez « montre sur pieds », ils m'ont dit.

— Mais c'était un flibustier et pas un officier ministériel qui t'a saisi! Ou alors tu as été trop bon, comme toujours! Tu n'as pas su te défendre!

— Pas su me défendre! Peux parler, toi! Souviens-toi de la table de nuit que tu avais oublié de cacher!

— Excuse-moi! Mais là je serais en droit de te crier raca! Je n'ai pas oublié de cacher la table de nuit; je n'ai pas voulu la cacher. Nuance! Elle ne valait quasiment rien.

— N'empêche qu'ils l'ont vendue vingt-cinq francs!

— Ah! Bobillot! Rougis! Tu es un forban! Tu sais aussi bien que moi qu'ils l'ont vendue vingt francs! Par contre, à ton sujet, je sais une histoire d'armoire à glace qui, si je la racontais, te mettrait à quia...

— Elle ne m'appartenait pas.

— Taratata! Tu veux m'en faire accroire! Pourquoi ne pas avouer que tu redoutais de la sortir au nez du concierge?

— Est-ce qu'ils saisissent la vaisselle? demanda mon père.

— Dieu merci, non! Quelle barbarie! Ils ne saisissent que les meubles, dit Trolette.

— La vaisselle est un meuble, dit Bobillot.

— Permets-moi de ne pas épouser entièrement ta théorie », dit Trolette.

Mon père les interrompit d'une voix fatiguée :

« Et les habits? »

Mais sur ce point non plus Trolette et Bobillot ne tombèrent pas d'accord. Ils discutaient l'un bourru, l'autre amène, citaient des numéros d'articles et des dates de lois. Ils invoquaient un passé glorieux de déménagements clandestins, de roueries juridiques et d'aimable misère. Ils se jetaient à la face les noms des huissiers et des commissaires-priseurs dont ils avaient déjoué les traquenards, énuméraient les meubles qu'ils avaient sauvés des ventes à l'encan et les appartements dont on les avait successivement mis à la porte.

« Et le 17 *bis* rue des Belles-Feuilles dont on m'a expulsé! disait Bobillot.

— On ne t'a pas expulsé. Tu es parti de ton plein gré, avec tous les honneurs. Je me le rappelle parfaitement. »

Bobillot croisait les bras sur sa poitrine avec une imposante indignation :

« Pas expulsé? Pas expulsé? Ça par exemple! Veux-tu que je te montre l'acte d'expulsion... je l'ai sur moi... Mais toi, tu es parti du 52 *ter* boulevard Picpus... »

Il insistait, âpre, jouteur tatillon :

« Tu es parti en payant!

— Quelle rage as-tu de me chanter pouilles chaque fois que tu me vois! Je n'ai pas payé!

— Alors comment se fait-il que le concierge t'ait aidé à charger tes malles dans le taxi?

— Je lui avais donné un pourboire!

— Ah! ah! Il lui avait donné un pourboire! triomphait Bobillot. Et il se mêle de discuter après ça! Voilà le type à qui tu allais demander conseil, Guillaume! Un apprenti!...

— ... Qui t'en a bien des fois remontré, Rodomont!

— Je vais vous apporter l'exploit d'huissier », dit mon père.

*

Le lendemain, mon père décrocha les lustres et les enveloppa dans des journaux. Les feuillets crevaient sous la pression des branches de métal, les ficelles glissaient, lâches, mon père tirait à coups de dents sur les nœuds. Il répétait :

« J'ai eu tort de les empaqueter dans un papier aussi clair. Ça se verra quand on passera devant la loge du concierge. Ça fera des histoires. Peut-être vaut-il mieux leur laisser tout. »

A dix heures je sortis pour voir si le concierge était couché. La porte vitrée de la loge était violemment éclairée et quelqu'un riait. Je remontai précipitamment.

« Alors?

— Pas encore!

— Je te dis, ça ne vaut pas la peine... On risque une foule d'embêtements... »

Il s'assit, feuilleta un livre. Mais ses yeux couraient au-delà des pages. A chaque instant, il lorgnait sa montre.

« Va voir encore. »

Cette fois, le concierge dormait. Nous soulevâmes le paquet. Mon père le prit contre sa poitrine et le ceintura des deux bras. Je voulus allumer la minuterie.

« Non! Ça réveillerait le concierge... On allumera au dernier moment... Mon briquet suffira... »

J'actionnai la molette. La flamme sautillante éclaira les premières marches et la courbe polie de la rampe. Mon père descendit, tâtant le terrain de la pointe du pied. A chaque palier, il s'arrêtait pour souffler. A travers les portes fermées venait une rumeur de vaisselle, de voix, de pas, évocatrice de chaudes intimités.

« Veinards! » disait-il.

Puis il repartait. Au bas de l'escalier, je pesai sur le bouton de la minuterie. Mon père apparut, perclus, défait, dans la lumière impitoyable. Je m'avançai vers la loge. Je criai :

« Cordon, s'il vous plaît! »

Mon père avait casé les lustres dans un recoin de la muraille, et déployait son manteau, comme une poule ses ailes, pour les dissimuler. Il chuchota :

« Il n'entend pas... Ça vaut mieux... Remontons... »

Mais un déclic l'interrompit. La porte s'entrebâilla. Il recula d'un pas.

« Tu crois qu'on peut y aller.

— Mais oui.

— Alors je passe devant. »

Et il ajouta :

« Surtout, n'ayons l'air de rien... Soyons naturels... Nous sortons, quoi... Nous sortons nous promener... Il n'a pas le droit de nous interdire... On est libre... »

De nouveau il serra le paquet contre sa poitrine et, la tête rentrée dans les épaules, le dos bombé, l'œil furtif, il fonça vers la sortie.

Dans la rue, il aspira l'air libre puissamment et avec délice. Trolette et Bobillot nous attendaient sur le trottoir d'en face. Ils arrêtèrent un taxi. Ils nous aidèrent à charger les lustres. Puis nous montâmes tous dans la voiture.

« Te voilà! Te voilà enfin! disait Trolette. J'avais tellement peur que tu n'oublies! Je disais à Bobillot : « Pourvu, ah! pourvu qu'il n'oublie pas! » Et tu n'as pas oublié! C'est magnifique! Ça s'est bien passé?...

— Très bien! dit mon père avec une assurance

narquoise. D'ailleurs il n'y avait rien à craindre! Le concierge n'allait tout de même pas sortir en liquette pour nous barrer le chemin!... »

Il riait, renversé, vainqueur et plein d'une morgue toute fraîche.

« Eh! dit Bobillot, ils le font quelquefois.

— Non? » marmonna mon père, aussitôt repris par sa lâcheté.

Mais il se maîtrisa.

« Et puis! On leur refile cent sous et on passe, dit-il. C'est bien passionnant, ces déménagements à la cloche de bois! Le pipelet t'espionne... Les voisins s'indignent... Le propriétaire fulmine des lettres recommandées et des exploits d'huissiers... Mais toi, posément, tu te prépares à filer entre leurs mailles... Et quand on vient te saisir... plus de meubles : « Je « regrette, il fallait vous y prendre plus tôt! » Ha! ha! ha!

Les réverbères éclairaient sur son visage une expression de férocité rusée, d'audace barbare qui les transporta :

« Tu es formidable! cria Trolette. C'est nous qui devrions prendre des leçons auprès de toi, et non toi auprès de nous!... Si, si... Je sais ce que je dis!... De cent coudées!... Tu nous dépasses de cent coudées!... »

Pourtant, lorsque plus tard il demanda :

« Quels meubles sortiras-tu demain? »

Mon père répondit avec une confusion lamentable :

« Demain... Aucun... J'attendrai encore un peu... Je te remercie... Je vous ferai signe quand il faudra... »

L'auto stoppa devant l'hôtel qu'habitaient Trolette et Bobillot : « On s'en contente, disaient-ils, en attendant d'avoir trouvé un appartement dont le gérant ne nous connaisse pas. » Mon père leur demanda encore s'il ne les dérangeait pas en les priant de garder les lustres pendant quelques semaines.

« Tu entends, Bobillot? gémit Trolette. Tu entends? Il nous demande si ses lutres ne nous gênent pas! Et pourquoi le demande-t-il? Parce qu'il ne nous considère pas comme des amis! Nous sommes pour lui des étrangers, des ennuyeux, des gens avec qui on fait assaut de politesses!... Voilà ce qu'il faut comprendre!...

Mon père protesta avec véhémence. Trolette répliqua avec enjouement. Enfin nous remontâmes dans le taxi. Nous ne parlions pas. Mon père respirait avec une régularité surveillée. Je le devinai, à nouveau, mou, vacillant, vulnérable.

« Tu as entendu ce qu'il a raconté, dit-il enfin. Quelquefois le concierge sort de sa loge et vous interdit de passer... Tu penses que c'est vrai?... Ça m'a l'air bizarre... Enfin... je crois qu'il est préférable de ne pas s'embarquer dans cette aventure... Laissons-les faire... Qu'ils saisissent tout... Tant pis...

— Comme tu veux », dis-je.

Il parut rassuré par mon inertie :

« Oui, dit-il, tant pis, quoi! »

*

L'huissier pénétra dans la chambre à petits pas dansants et précautionneux. Il équarrissait chaque meuble du regard, fermait les yeux, d'un air de profonde méditation et de malice, et se dictait à mi-voix :

« Première chambre. Une table... Six chaises... »

Il inscrivait ces remarques avec une grande écriture tremblée et flottante, sans autre appui que son portefeuille tenu à bout de bras.

« Et le lustre? dit-il.

— Nous... nous l'avons vendu », bredouilla mon père.

L'huissier passa dans la pièce voisine. A nouveau, son œil noir et vif vola de l'armoire au lit, du lit à la carpette, de la carpette au fauteuil et se reposa sur son papier.

« Et le lustre? » dit-il encore, avec une certaine aigreur.

Et il nous enveloppa d'un froid regard professionnel, sous lequel mon père défaillit :

« Nous... nous l'avons aussi vendu... Pour... pour payer le dernier terme... »

Mon père souriait de biais, une joue remontée et ronde, l'autre lisse. Il se rapprocha de moi. Il me souffla d'une voix mourante :

« Tu vois... Je te disais bien qu'il ne fallait pas les emporter... Il est furieux... S'il voit encore qu'on a ôté l'abat-jour en verre dépoli de la cuisine, ça va mal tourner...

— C'est par ici la cuisine? demanda l'huissier.

— Oui », dit mon père.

Il voulut ajouter quelque chose, mais se tut. Il liait et déliait ses longs doigts craquants. La peur lui plissait les paupières. Tout à coup, il prononça délibérément :

« Vous m'excusez. Je vais acheter des cigarettes, et je reviens. »

Il sortit.

Il ne revint qu'à l'heure du dîner. Il me demanda :

« Il a laissé deux lits?

— Oui.

— Et une table et deux chaises?

— Non.

— Comment non? Je parie que tu ne lui as pas demandé! On ne peut même pas s'en remettre à toi d'une pareille bagatelle! Si j'avais su! »

Il s'empara du procès-verbal de saisie que l'huissier avait laissé sur son bureau. Il le parcourut :

« Et puis... Il n'a pas le droit! « Signifié par la

présente... parlant à sa personne... » Il n'a pas le droit d'écrire « parlant à sa personne » si je n'ai pas assisté à toute la procédure!... Ça ne se passera pas comme ça! Qu'est-ce qu'il t'a dit en partant?

— Si vous n'avez pas payé jusqu'au trente, je vous assigne en référé.

— La canaille! Oh! mais, ça lui retombera sur le nez cette histoire-là. Oh! mais, c'est qu'il a trouvé à qui parler maintenant! Je suis doux comme un agneau, tout le monde le sait, mais lorsqu'on m'attaque je ne réponds plus de moi! Je déposerai une plainte à la Chambre disciplinaire des huissiers! Il sera pincé! »

Il fouetta les murs d'un regard farouche et s'assit pour rédiger une lettre de réclamation qu'il n'envoya jamais.

XI

Il avait une tête ronde, plantée trop haut sur un cou trop frêle, de doux yeux jaunes, et un long nez violâtre et grumeleux. Il se présenta :

« Prouve, commissaire priseur. »

Il s'assit avec une lenteur cérémonieuse, tira un cahier de papier blanc de son portefeuille et repoussa ses manchettes qui l'empêchaient de poser son poignet bien à plat sur la table. Il dit :

« Monsieur, si vous désirez racheter certains meubles, rachetez-les au nom d'un ami. Ainsi vos créanciers personnels ne pourront plus les saisir.

— Je vous remercie », dit mon père, plié en deux et que je sentais prêt à toutes les bassesses.

Le commissaire priseur claqua du doigt dans la direction d'un homme dont d'épais sourcils et de raides moustaches barraient la face de deux raies parallèles.

« Voulez-vous vérifier? Félix », dit-il.

Félix nous quitta, fit le tour de l'appartement et revint bientôt :

« Tout y est.

— Alors, faites monter les marchands. »

Félix parti, le commissaire priseur tourna vers nous un sourire bonasse :

« Fait chaud », dit-il.

Et aussitôt le visage de mon père se froissa dans une moue mielleuse :

« Très... Ça doit être insupportable dans un métier comme le vôtre... la chaleur... »

Il reprenait confiance devant cet homme affable. Il se redressa un peu. Il laissa descendre sur moi un regard serein. En passant, il murmura :

« Tu vois, ça n'a rien de terrible! »

Mais, à ce moment, la porte s'ouvrit sous une poussée furieuse. Une quinzaine d'individus à têtes de brutes se ruèrent dans l'appartement.

« Les marchands », dit le commissaire priseur, vers qui mon père penchait une grimace affolée.

Ils s'immobilisèrent dans un piétinement de semelles. Comme il faisait chaud, la plupart portaient leurs vestes sur l'épaule. Les manches courtes ou roulées de leurs chemises découvraient des biceps pommés de déménageurs. Ils étaient coiffés d'extraordinaires casquettes à carreaux mauves, verdâtres, jaunes, qu'ils ne retirèrent pas. Ils inspectaient les meubles avec des mines soupçonneuses de maquignons. Ils échangeaient des réflexions à haute voix :

« Tu parles d'un palace!

— C'est pas encore là que je dépenserai ma fortune!

— Pige le fauteuil! En remplaçant le bois, les ressorts et la tapisserie tu le vendrais encore cent sous!

— Silence! cria Félix. La table : mise à prix trente-cinq francs.

— Eh! Tu te fous de nous, patron! protesta quelqu'un. Quinze francs.

— Seize.

— Sept.

— Huit.

— Qui est-ce qui a dit huit? Shmeck?

— Plus souvent! Tu peux te l'accrocher! rigolait Shmeck. On me la donnerait que j'en voudrais pas!

— Huit? Pour qui huit?

— Vas-y pour moi! J'l'offrirai à ta femme pour son anniversaire.

— Neuf! Pan dans l'œuf!

— Trente! J'bais' ta tante! »

Les chiffres volaient de bouche en bouche, à peine prononcés, avec une rapidité vertigineuse. Ils les accompagnaient de blagues traditionnelles et de commentaires :

« Il file le tonnerre, le petit Félix : on lui a mis des pétards à la fesse.

— Respect, gueulait Félix... Trente-cinq... cinq... cinq... Trente-cinq pour Arthur! Adjugé.

— Eh bien, mon vieux! Si c'est à ce prix-là que tu paies le bois dont tu te chauffes!... »

Le commissaire-priseur inscrivait le résultat des enchères sur son registre.

J'étais atterré. Je regardais ces énergumènes gesticulants et braillants qui rôdaient par les chambres, furetaient dans les coins, sans se soucier de notre présence. Ils occupaient la place comme une redoute prise sur l'ennemi. Ils raflaient.

« Quarante francs, le fauteuil.

— Mon œil!

— Trente-deux.

— Cinq, si tu m'paies un tour au zinc!

— Sept!

— Eh! patron! Il est râpé sur les accoudoirs! J'en veux pas! »

Mille souvenirs charmants étaient liés à ce fauteuil : souvenirs de lectures douillettes, de causeries paresseuses, de chagrins terrés aux capitons de son dossier de velours jaune. Il avait une personnalité bien définie. Il était une partie de mon passé. Je souffrais de le voir dévisagé, évalué, marchandé avec un pareil sans-gêne. Il me semblait que son emplacement par rapport aux autres meubles et ses menues infirmités ne pouvaient rien laisser ignorer de notre existence. Oui, ces inconnus pénétraient par lui dans notre vie, découvraient notre intimité, violaient le secret de mille habitudes délicieuses. Notre détresse leur était donnée en spectacle. Et ils ne nous plaignaient pas. Ils jouissaient de notre égarement et de notre honte. Ils prolongeaient commodément le plaisir. Une rage sournoise me serra la gorge. Je cherchai mon père des yeux. Je l'aperçus, blafard, décoiffé, suant du visage, avec son exécrable sourire de commis voyageur et son regard sirupeux. Il vint vers moi. Il me demanda :

« Est-ce qu'on dit « maître » à un commissaire-priseur?

— Je ne sais pas, répondis-je sèchement.

— Je pense que ça vaut mieux... Et puis, crois-tu qu'il faille lui serrer la main à son départ... et lui donner quelque chose? »

Les marchands, guidés par Félix, nous cernèrent.

« Voulez-vous vous retirer, que je montre la carpette... »

Un gros homme trapu et chauve bouscula mon père sans s'excuser. Mon père me glissa à l'oreille :

« Quel costaud! hein!

— Dix francs, la carpette!

— Oh! ma mère!

— Garde-le, ton tapis d'Arménie!

— On verrait au travers!

— Onze, pour faire marcher le commerce!

— Oui, il n'est pas fameux, dit mon père.

— Douze.

— Vous savez combien je l'ai acheté? » dit-il encore.

Qu'avait-il à tourner autour d'eux obséquieux, prévenant, bavard. N'éprouvait-il pas le besoin de faire oublier sa présence? L'humiliation qu'il essuyait ne tuait-elle pas l'absurde désir qu'il avait d'être partout remarqué? Le pitre était-il si profondément installé en lui qu'il préférait l'attention goguenarde de ces énergumènes à leur indifférence?

Ils passèrent dans la chambre voisine. Mon père les suivit. J'entendis crier, rire, et Félix qui psalmodiait : dix-sept, dix-huit à droite, neuf...

Puis des pas sonnèrent sur le dallage de la cuisine :

« Ce sont des pots... Un temps j'avais essayé de fabriquer du yaourt, puis une crème de beauté... dit la voix de mon père.

— Quatorze, quinze... »

La vente tirait à sa fin. Déjà, les marchands emportaient les meubles : la table, les chaises quittèrent l'appartement sur le dos de leurs acquéreurs. Devant moi, deux bonshommes malingres démontaient l'armoire. Dans un tiroir, l'un d'eux découvrit un cahier. Il me le tendit :

« C'est à vous? »

Je rougis :

« Oui. »

Et, je ne sais pourquoi, cet incident blessa mon amour-propre plus que ne l'avait fait la procédure des enchères.

Sur les murs nus et déteints, des rectangles jaunes dessinaient l'emplacement des meubles. Par terre, traînaient des rouleaux de poussière et des ficelles. Les chambres avaient un aspect vacant, déserté, pillé, qui me poignait le cœur. J'ouvris la fenêtre pour chasser l'odeur des pieds suants que les marchands avaient laissée derrière eux. Une camionnette était arrêtée devant la maison. Deux hommes chargeaient nos chaises sur la plate-forme. Le concierge et sa femme les regardaient et parlaient avec animation. A un moment, ils levèrent la tête vers notre étage. Je refermai la croisée précipitamment.

Mon père entra, s'assit sur une malle. Il avait un visage lourd et d'une pâleur maladive. Il toussait de fatigue et d'irritation. Il me regarda. Il essaya un sourire. Il dit :

« Tu as vu : l'armoire a passé à soixante-quinze francs... Je n'aurais pas cru... »

Et, comme je ne répondais pas, il dit encore :

« Au fond, tout ça c'était des vieilleries... Je suis content d'en être débarrassé... Où les aurions-nous mis?... Au garde-meuble?... Dépenser encore de l'argent!... »

« Se taira-t-il? » pensais-je. La vieille haine que j'avais endormie se réveillait en moi. Je me récitais avec un enivrement furieux la liste interminable de ses torts. Brassant d'inconsistantes affaires, multipliant d'inutiles amitiés, se dépensant en paroles creuses, en gestes sans lendemain, accumulant les erreurs, les parades, les mensonges, il nous avait en quelques mois amenés à la ruine. Mieux, il nous avait dépouillés de cette considération des honnêtes gens, de cette estime propre, de cette fierté intime qui m'étaient si chères. Il nous avait déclassés.

Il ne parlait plus. Je le regardai. Et je faillis crier de stupeur. Il avait baissé la tête, les poings aux mâchoires, la bouche close, et deux lentes larmes coulaient sur ses joues fripées. Ce fut un éblouissement. Le reste du monde fut balayé de ma mémoire. Je sentis seulement qu'il avait compris mes reproches comme si javais parlé à haute voix, et qu'il en souffrait. La pitié, le remords, la honte, se ruaient en moi. Je tremblai de la tête aux pieds. Je tombai à genoux devant lui. Je baisai ses mains longues et chaudes en balbutiant des paroles sans suite. Je mendiai son pardon. J'entendis sa grande voix qui murmurait au-dessus de moi :

« Eh quoi? quoi? Qu'est-ce que c'est? mon petit... Qu'est-ce que c'est?... »

Puis il se frotta les yeux avec son poignet, rudement, en homme. Il égalisa son souffle. Il dit :

« Il n'y a pas de quoi pleurer... C'est mieux comme ça, je t'assure... Tu verras... Nous louerons une chambre dans un hôtel... J'ai encore de l'argent pour un mois... Et puis nous bricolerons... Nous chercherons du travail... Il y aura du monde, là-bas... Tu te feras des amis... Il faut te faire des amis... »

Il parlait d'une voix chantonnante et douce, comme si j'étais un tout-petit. Et c'est vrai que j'étais un tout-petit à cette minute. J'étais, prosterné devant sa tendresse paisible et sa résignation. Il me semblait que j'avais retrouvé mon père après une longue séparation, de longues recherches, et que plus rien ne m'écarterait de lui. Une affectueuse divination nous liait pour toujours l'un à l'autre. Je vis en esprit le pauvre groupe que nous formions : deux êtres très bons, très droits, très simples, vaincus par la vie méchante, emportés à la dérive et trop faibles pour lutter contre le courant. Et aucune main ne se tendait vers eux. Tous croisaient les bras sur la poitrine à leur passage, ou les repoussaient du talon. Tous les méprisaient. Tous les reniaient. Je m'attendrissais sur notre infor tune. Je sanglotais à gros hoquets. Mon père me secoua le bras mollement :

« Veux-tu! Veux-tu! Quel gosse! Pour si peu... »

Il cherchait ses mots avec une maladresse touchante. Puis il m'apporta un verre d'eau. Je le bus, en claquant des dents comme un fiévreux. Lorsque j'eus fini de boire, il me sourit étrangement, tranquillement, avec de grands yeux délivrés et lumineux et des lèvres encore frémissantes. Il me prit le verre des mains. Il dit :

« Sortons, ça te changera les idées. »

Trolette et Bobillot nous attendaient au café. Ils n'avaient pas voulu assister à la vente parce qu'ils connaissaient notre commissaire priseur et que leur présence aurait pu l'indisposer à notre égard. Ils réclamèrent le récit détaillé de l'événement. Mon père m'enveloppa les épaules de son bras, comme pour mieux publier notre union.

« Ça été tordant! Figure-toi une trentaine de types qui se ruent dans l'appartement, en rigolant, en se bourrant de coups de poing, en se roulant sur les lits...

— J'espère que tu les as tancés d'importance, dit Trolette.

— Et comment! « Vous vous croyez dans une por-« cherie! Vous... »

— T'as pas dit ça, dit Bobillot.

— Non? demande au petit si tu ne me crois pas!

— C'est vrai », dis-je.

Et ce mensonge me parut tellement naturel que je n'en souffris pas. Et même, de l'avoir fait, je me sentis comme ennobli, purifié, racheté. Une merveilleuse complicité m'unissait à mon père. Nous nous soutenions mutuellement. Nous nous défendions mutuellement. Nous étions deux contre tous.

Il me frôla d'un regard où je crus lire une reconnaissance étonnée. Il disait :

« L'armoire a passé à soixante-quinze francs... Je n'aurais pas cru... »

Qu'importaient ces paroles banales! A travers elles, le charme continuait d'opérer. A mesure qu'il parlait, je me sentais envahi par un tumulte de pensées inconnues qui, toutes, me rapprochaient de mon père, m'identifiaient à mon père. Je ne me reconnaissais plus. J'étais un autre.

TROISIEME PARTIE

I

UNE vie nouvelle commença pour nous. Chaque matin, à dix heures précises, le visage de mon père, bouffi de sommeil, souillé de barbe, se détachait, tout de profil, hors de l'oreiller. Il fauchait l'air d'un geste mou de ses bras que les manches du pyjama, rétrécies et plissées en spirales, découvraient jusqu'au coude. Il grognait :

« On a frappé. »

Mais déjà la porte s'ouvrait sur la stature considérable de Bobillot. Il entrait, gauche et puissant. Derrière lui, Trolette avançait avec une démarche frétillante et compliquée de danseuse :

« On gèle! On gèle! On gèle! Comment ces horribles gens ont-il la barbarie de vous martyriser de la sorte! »

Bobillot ouvrait la fenêtre, poussait les volets. La chambre surgissait de la nuit, jaune de papier et grise de vitres, avec ses deux lits de fer, ses deux chaises cannées, sa table tapissée de papiers buvard déchiquetés d'un vert administratif et ses « règlements de l'hôtel » placardés sur les murs.

« On vient pour la belote, disait Bobillot.

— Oui, nous nous consumions d'envie de faire un tout petit tour de belote », corrigeait Trolette.

Je me levais. Nous nous asseyions autour du lit où mon père bredouillait dans un murmure limoneux :

« Pouviez pas venir plus tôt! »

Trolette, le buste roide, les coudes au corps, la main voletante au bout d'un poignet immobile, distribuait les cartes en récitant :

« Trois sales cartes pour Guillaume, trois bonnes cartes pour Jean, trois sales cartes pour Bobillot, trois bonnes cartes pour Trolette! »

Puis il retournait l'atout :

« Qui veut la belle bibique! »

Car il ne disait jamais un pique, un cœur, un trèfle, un carreau, mais une biblique, une cœurtouille, une tréfasse, une carotte, s'ingéniant à déformer le nom des couleurs jusqu'à les rendre absolument incompréhensibles, et se tordant de rire à chaque nouvelle appellation qu'il inventait.

« Eh bien, moi je la prends ta bibique, disait Bobillot, le regard soucieux, la lèvre supérieure descendue jusqu'à cacher la lèvre inférieure.

— Tu la prends... et j'annonce cent!

— Montre.

— Ah! pardon! Je m'étais trompé, flûtait Trolette avec malice.

— On joue sérieusement ou on ne joue pas, se fâchait mon père. Si tu avais fait ça dans un cercle on t'aurait mis à la porte!

— Tu as raison, se lamentait Trolette. Je suis un imbécile! Je vous gâche la partie! Je ferais mieux de rester chez moi!

— Mais non, seulement la prochaine fois...

— Mais si, mais si... Vous êtes bien trop bons pour moi!... »

Et la partie reprenait. Lorsque Trolette abattait une carte sur la courtepointe qui, tendue entre les genoux de mon père, figurait la table de jeu, il ne manquait pas d'ajouter :

« Et à ça, qu'est-ce que tu répondras? Et cette fois, aurons-nous le plaisir de voir votre valet? »

A quoi Bobillot répliquait simplement :

« Toc sur la gueule! Tu repasseras demain. »

Ou encore :

« Pendant les grandes chaleurs, les marchandises sont à l'intérieur. »

Enfin, si l'un des joueurs tardait à décider son coup, les autres criaient :

« Tu nous réveilleras quand tu auras fini! Allons, sépare-toi de ton neuf, tu le retrouveras la prochaine fois! Ma parole, il lui faut des forceps! »

La partie terminée, mon père disparaissait derrière le paravent qui cachait la cuvette et le broc réglementaires, et se lavait longuement. On entendait la vaisselle tinter, l'eau gicler, la brosse racler. Puis il sortait de son repaire nu jusqu'à la ceinture et le torse ruisselant. Planté devant nous, il s'essuyait sauvagement. Il roulait sa serviette pour se bouchonner les aisselles, la tendait sur l'index pour se curer les oreilles, l'étirait d'une main à l'autre pour se frotter le dos et finissait par se la nouer sur la tête en maigre turban.

« Quand tu auras fini de faire la grue, tu me préviendras », claironnait Bobillot.

Et il ouvrait un journal qui traînait depuis des semaines sur la table et que nous avions tous lu de la première à la dernière ligne.

Mais mon père ne prêtait aucune attention à cette colère quotidienne. Il se promenait par la chambre en s'appliquant des tapes sonores sur les flancs. Il s'arrêtait devant Trolette, disait d'un air grave :

« Chaque hiver, j'ai un petit eczéma qui apparaît au-dessous du sein gauche. A quoi cela tient-il? »

Et Trolette répondait :

« Je n'ai pas remarqué... Approche-toi! Au-dessous du sein gauche? Je vois maintenant... Je crois qu'en te frictionnant à l'huile camphrée et en buvant un peu moins de café ça te passerait... Dès que j'aurai un peu d'argent je t'achèterai de l'huile camphrée... Si. si... Ne refuse pas, tu m'offenserais!... »

Bobillot rejetait son journal :

« Alors, quoi, c'est une consultation! »

Trolette souriait, le regard en coulisse :

« Je ne te comprends pas, Bobillot. Nous sommes amis. Dès lors, ne devons-nous pas le faire bénéficier de nos menues expériences? Coupe-moi en morceaux si tu veux, mais si je peux rendre service à Guilaume je le ferai... C'est plus fort que moi... C'est plus fort que toi! »

Et se tournant vers mon père :

« A ce sujet, je voulais te donner encore un conseil. Comme tu souffres d'un léger embonpoint, tu ferais bien de te promener chaque matin dans ta chambre sur la pointe des pieds et les bras au ciel... Tu me diras que je me mêle de ce qui ne me regarde pas... »

Bobillot se levait d'un bond et faisait mine de sortir. Mon père le retenait :

« Bien! Bien! C'est fini! Je m'habille! J'en ai pour cinq minutes! »

Vers onze heures nous descendions au bistrot. Le

garçon nous connaissait. Il nous réservait la table qui était près de la fenêtre et nous donnait deux soucoupes de sucre au lieu d'une. Il versait le café, le lait, posait devant nous une panetière garnie de vieux croissants fripés. Un chaud parfum montait des verres où les cuillères en tournant tintinnabulaient comme des clochettes.

« J'ai une affaire », disait mon père.

Les têtes se rapprochaient. Il s'agissait d'un assèchement de marais en Bessarabie, pour lequel le gouvernement roumain cherchait des capitaux, ou du renflouement d'un croiseur allemand coulé pendant la guerre. Car, à mesure que leurs ressources baissaient, leurs affaires prenaient des proportions de plus en plus grandioses.

« Qu'est-ce qu'on toucherait comme intermédiaires? demandait Bobillot.

— Six millions. Moitié pour vous deux, moitié pour moi. »

Je croyais que ce chiffre allait les troubler. Mais Trolette et Bobillot continuaient de laper le café brûlant par lentes gorgées. Puis :

« Certainement je n'ai pas ta culture et je ne devrais pas avoir voix au chapitre », commençait Trolette, avec un sourire mignard.

Mais Bobillot, sombre, intervenait :

« Au fond, Guillaume, tu es le dernier des cochons.

Réfléchis. C'est nous qui nous envoyons tout le travail. Et c'est toi qui touches le plus. Je ne marche pas...

— Sans moi vous n'auriez jamais entendu parler de cette entreprise...

— D'accord. mais peut-être est-ce du bluff?

— Du bluff? s'indignait mon père. Je suis chargé des négociations par le gouvernement... indirectement bien entendu... et tu parles de bluff!... D'ailleurs, je comprends à présent que j'ai eu tort de m'adresser à vous!... Vous n'êtes pas les hommes qu'il me faut!... Vous êtes tout juste bons pour miser cent sous aux courses ou acheter des billets de tombola!... Vous manquez d'envergure!... Voilà!

— Tu me taraudes le cœur, mon cher ami! gémissait Trolette. Quel moustique t'a piqué?

— Laisse-le, disait Bobillot, il ne sait plus ce qu'il dit. »

Il y avait un long silence. Puis mon père hasardait : « Et deux mille billets chacun... Ça vous irait?

— C'est mieux, concédait Bobillot. C'est acceptable.

— Seulement : *motus*. Des intérêts diplomatiques importants sont engagés dans cette affaire... L'ébruiter, c'est s'aliéner les gouvernants des deux pays...

— Pour qui nous prends-tu? »

Ainsi, le dos à la molesquine usée des banquettes, le nez dans leur café-crème fumeux, où nageaient des miettes de croissants, ils jonglaient avec les secrets d'Etat, refusaient leur collaboration à telle affaire, l'accordaient à telle autre et marchandaient million par million les commissions qu'on leur offrait. Mais il me semblait que dans ces discussions, chacun d'eux cherchait moins à convaincre les autres qu'à se convaincre lui-même. Ils s'emballaient à froid, posaient des bases, en sapaient d'autres, avec l'obscur souhait de se laisser griser par l'irrésistible musique des chiffres, de perdre la raison jusqu'à se croire le personnage qu'ils jouaient, d'être dupes. Et lorsque, de mensonge en mensonge, ils parvenaient à la foi désirée, une merveilleuse certitude pacifiait leurs traits. C'était fini. Ils étaient sortis d'eux-mêmes. Ils avaient oublié leurs chaussures molles qui prenaient l'eau, leurs vêtements élimés, leurs chambres d'hôtel grises de poussière et d'ombre et l'avenir de misère et de paresse qui les attendait. Ils étaient pénétrés d'une importance anticipée. Ils s'admiraient. Ils étaient heureux.

Et je ne songeais plus à m'indigner, comme jadis, de cette comédie toujours recommencée. Je comprenais le besoin qu'ils avaient de s'aveugler. Mieux, j'éprouvais ce besoin. Et lorsqu'ils se taisaient, je me sentais tellement déchu que je bredouillais vite une phrase pour renouer la conversation. Aussitôt les palabres financières reprenaient. Je détournais les yeux des vérités qui me glaçaient pour les reporter dans le rêve. Je m'engourdissais lâchement dans les énormes et naïfs espoirs que leurs paroles faisaient naître en moi. Je savourais amèrement mon apathie.

Vers une heure, après avoir pour la centième fois calculé l'étendue de leur fortune future, après avoir distribué des sommes considérables à ceux de leurs amis qui les avaient suivis dans la misère, après avoir dédommagé leurs créanciers, acheté des autos, bâti des maisons, entretenu des femmes et vécu de la vie tapageuse et brillante des matadors de la finance, ils consentaient à redescendre dans la grise réalité. Trolette, dont le fin visage exprimait encore l'hébétude du visionnaire, disait :

« Et notre dînette! Et notre dînette! Je défaille d'inanition!

— J'ai cinq francs pour toute la journée, disait mon père.

— Trois, disait Bobillot.

— Mais vous êtes cousus d'or! disait Trolette. Moi je n'ai que deux francs! Je suis la petite Cendrillon de la compagnie! »

Ils fouillaient encore leurs poches, profondément, furieusement, à pleins doigts. Parfois ils ramenaient des piécettes de nickel, pêle-mêle avec des raclures laineuses. Ils additionnaient leurs apports. Et ces bouches qui avaient dénombré de fabuleuses richesses, réglaient avec une précision parcimonieuse l'emploi de quelque dix francs péniblement amassés.

Nos moyens ne nous permettaient pas d'introduire une grande variété dans nos menus. Pour mon père et pour moi, j'achetais des filets de hareng et du gros pain. Trolette et Bobillot préféraient le fromage de tête. Nous déjeunions ensemble au bistrot. De temps en temps, Trolette s'exclamait en roulant des yeux sucrés :

« Ce fromage de tête est exquis! Je me demande comment les fabricants s'arrangent pour fournir à un prix aussi minime des aliments aussi savoureux! »

Bobillot tordait ses grasses lèvres rouges dans une moue de dégoût.

« Pas malin! Sais-tu comment ils le préparent ce fromage de tête? On écrabouille des chats de gouttière, des chiens abandonnés, des rats! Tout ça ensemble! On te le moule, on te le frigorifie avec de la gelée tout autour! Et voilà! Achetez-le! Mangez-le! Empoisonnez-vous les intestins!

— Mais tu es un Lucifer! Quelles saletés tu racontes!

— Si je le raconte, c'est que c'est vrai!

— Et toujours aux heures des repas! On dirait que tu le fais exprès, se lamentait Trolette.

— J'en parle quand j'y pense. »

Et, s'il était de bonne humeur, il ajoutait :

« Peut-être que celui-là ils ne l'ont pas préparé de la même façon. »

Après le déjeuner, Trolette et Bobillot nous quittaient pour aller faire un tour sur les boulevards. Nous rentrions à l'hôtel. Et jusqu'à quatre heures nous nous dépensions en minutieux ravaudages. Parfois, les lacets de nos chaussures ayant craqué, nous trempions une ficelle dans de l'encre et la mettions à sécher devant le radiateur, avant de l'enfiler dans les œillets. Encore, nous badigeonnions d'encre les craquelures de nos souliers et chassions avec le manche d'un porte-plume les petits cailloux qui s'étaient insinués dans les fentes de nos semelles. Nous racommodions notre linge en serrant l'étoffe avec un fil solide, juste au-dessus du trou, ce qui raccourcissait le pied des chaussettes, les manches des chemises et les jambes des caleçons, mais ne laissait subsister aucun orifice par où le froid aurait pu se glisser. Nous lavions nos faux cols, nos manchettes, nos mouchoirs et les étalions à plat sur la vitre, pour qu'ils perdissent leur eau sans se chiffonner. Enfin, nous nous coupions mutuellement les cheveux avec des ciseaux à bouts ronds que nous avions découverts dans la table et qui ne consentaient à trancher les mèches qu'inclinés sous un certain angle et légèrement mouillés de salive. A quatre heures, mon père m'envoyait acheter *l'Intran-*

sigeant. Puis il s'étendait sur le lit et parcourait le résultat des courses. Il glapissait :

« Bravo! Croquignole est arrivé premier! Et on donne trente-sept pour cinq! »

Ou :

« J'ai misé Ubu II, comme Trolette me l'a conseillé! Evidemment, il est dans les choux! Dix balles de fichues! Ça m'apprendra! »

Mais ces gains et ces pertes n'affectaient en rien notre budget car mon père ne jouait qu'en esprit, et, comme il disait, pour la satisfaction morale. Ces émotions hippiques une fois apaisées, il passait à la lecture des « petites annonces ». Mais aucun emploi ne trouvait grâce devant lui : il était trop âgé pour être garçon de bureau, les représentants dépensaient plus en ressemelages qu'ils ne gagnaient en commissions, les secrétaires étaient censés connaître la sténo-dactylo et quelquefois la comptabilité, quant aux copies d'adresses tout le monde savait qu'elles n'avaient jamais nourri leur homme. D'ailleurs, il avait besoin de toutes ses journées pour mener à bien les nombreuses entreprises qui fermentaient dans son cerveau. Ayant accompli cette rapide formalité de justification, il disait :

« Voyons s'il n'y a rien pour toi. »

Et il relisait les annonces sans en sauter une et avec lenteur. Et cette fois les places les plus saugrenues lui paraissaient alléchantes. Il trouvait des phrases persuasives pour me chanter l'avenir des vendeurs de nouveautés textiles et des ouvreurs de cinéma. Ces mêmes colonnes qui, lorsqu'il y avait cherché l'offre d'une situation pour lui-même, s'étaient révélées sous l'aspect d'un recueil de stupidités navrantes et de grandioses escroqueries, débordaient à présent de propositions avantageuses auxquelles il me suppliait de ne pas rester indifférent. A l'entendre il aurait fallu écrire sur l'heure à tous les employeurs de Paris et de la province. Seule l'idée des frais excessifs qu'entraînerait cette correspondance l'obligeait à faire un choix parmi les nombreuses trouvailles :

« Tu vas me faire le plaisir d'écrire immédiatement à Villobet, fabricant de queues de billard à Lagny...

— Mais il demande un spécialiste avec références!

— Tu as une langue pour mentir. Tu diras que tu as travaillé dans ce métier, mais qu'il y a très longtemps et que tu as oublié un peu... Est-ce que je sais, moi! En tout cas il serait grotesque de laisser passer une occasion pareille! Le jeu de billard se vulgarise de plus en plus en France. La consommation actuelle de queues de billard est au moins de quatre à cinq mille par mois, rien que pour Paris... Et les queues Villobet sont parmi les meilleures sur le marché français... Plus tard je pourrai m'associer avec lui, élargir l'entreprise... J'ai déjà un plan en tête... Ecris aussi à la pharmacie Leullier. Ils demandent un garçon livreur avec une bicyclette. Je sais, tu n'as pas de bicyclette! Mais les métros et les autobus ne sont pas faits pour les chiens!.... »

Ensuite, il étalait un papier sous ses chaussures, s'enroulait dans son manteau et s'endormait avec un allègre sifflement de ses narines bouchées.

Je m'asseyais devant le bloc de papier. Je rayais la mention : « Société du Yaourt Kalmouk » qui s'étalait en majuscules bleues dans le coin gauche des feuillets. Mais, aussitôt que je commençais ma lettre, une lassitude immonde me relâchait les doigts. Je sentais que j'avais pris goût à la vie oiseuse que nous menions. L'odeur des feuilles traversées de pluie, de la chambre enfumée, du bistrot surchauffé, composait un vague encens où je m'engourdissais. J'aimais ces heures vides, interminables, débilitantes, qu'on gaspillait en bavardages et en sommes et dont on attendait toujours quelque chose qu'elles n'apportaient pas. Le sentiment que je gâchais mon existence jour à jour, et qu'il aurait suffi d'un mince effort pour me tirer de cette léthargie, et que ce mince effort même je ne le ferais pas, m'était doux comme la conscience de ces travers intimes dont on néglige de se corriger. Oui, la honte que j'éprouvais à cette désertion de ma volonté était timide, amicale, consolante. Je coulais délicieusement vers des bas-fonds de rêveries fainéantes. Je ne voulais plus me débattre. Mon père tournait vers moi sa face endormie et je considérais sans dégoût l'image dégradée de ce que je serais plus tard, de ce que j'étais déjà. Je déchirais la lettre inachevée. Au réveil de mon père, j'expliquais que je l'avais rédigée dans les termes qu'il m'avait dits et que déjà je l'avais envoyée. Il demandait :

« Tu as eu assez pour les timbres?

— Il m'en restait d'hier. »

Il ne soupçonnait rien. Le danger — cette vie laborieuse et mesurée — était écarté.

Nous dînions de charcuterie dans notre chambre. Ensuite, nous passions au bistrot. Trolette et Bobillot nous attendaient pour la dernière belote de la journée. Nous entrions dans la salle lumineuse, tumultueuse, puante, comme en territoire conquis. Le garçon nous saluait d'un tournoiement de serviette :

« Ces messieurs vous attendent! »

On s'asseyait. Trolette et Bobillot racontaient en se tordant des histoires incroyables sur des gens qu'ils avaient rencontrés l'après-midi et que je ne connaissais pas. Le garçon s'approchait.

« Deux demi-brune. »

Des fumées ténues brouillaient la lumière sèche et blanche des ampoules. Derrière le comptoir, le plongeur aux manches retroussées et aux mains rouges tournait les robinets, égalisait avec une palette de bois l'écume opulente des bocks, débouchait des bouteilles, versait des liquides multicolores sans en perdre une goutte, essuyait le zinc d'un preste coup de torchon, répétait les commandes d'une voix tonnante :

« Et deux demi-brune! »

La patronne était installée dans une cage de verre tapissée de boîtes de cigarettes, et souriait avec fatigue. Il y avait plus de monde que dans la matinée. Un gros homme soûl se dirigeait à pas traînants vers la porte. Il s'arrêtait devant un nègre qui tenait une petite femme blonde par la taille et mâchait un sandwich avec mélancolie. Il disait d'un air vague, narquois et satisfait :

« Tom... Tom... As-tu lu *La Case de l'oncle Tom?...* »

Le nègre levait des yeux stupides et la petite femme protestait avec un fort accent allemand :

« Fous êtes iffre! Nous n'afons rien à faire afec fous! »

Le gros homme se dandinait mollement, poursuivait :

« Tu es un nègre... Tu... Tu... Tu est le rebut de l'humanité... Tu es d'une race esclave... Je te méprise... Et... Et... je te ca...rac...térise... »

Le garçon le poussait dehors doucement

Une grue entrait déhanchée, quêteuse. Quelqu'un disait derrière moi :

« Tiens! Elle a un placard sur l'œil : son homme a dû revenir de période. »

Un bruit de vaisselle :

« M... alors! On se fait moins saucer dehors qu'à l'intérieur! »

Le garçon saupoudrait le dallage boueux de sciure de bois.

Un habitué s'avançait, tendait deux doigts à mon père.

« Ça va? Vous ne savez pas si Gilbert est là? »

Il passait. Un moment on n'entendait plus que le carambolage des billes de billard derrière la vitre en verre dépoli et le claquement des pions de jacquet. Puis, d'autres entraient, glissaient entre les tables, sortaient. Des hommes hilares ou hargneux, des femmes peintes ou vêtues de noir et qui se hâtaient :

« Avec ta rage d'arriver toujours cinq minutes avant le départ du train! »

Un sentiment de crapuleux bien-être me renversait sur le dossier de la banquette. Aucune inquiétude. Mais au contraire un infini soulagement. Comme si j'avais enfin découvert ce que j'attendais de la vie. Trolette battait les cartes, avec le geste rapide et furieux d'une mère qui donne la fessée Bobillot épongeait le milieu d'une petite ardoise, écrivait : vous, nous.

« Ce soir nous aurons votre peau, disait mon père. Et d'abord, cinquante! »

Je le regardais. Tassé sur lui-même, le faux col tordu, la face brillante et mal rasée, rien en lui n'inspirait le respect. Et il me plaisait de le voir si peu différent des autres et de moi-même. Après l'avoir descendu du socle où je l'avais placé, je savourais ce qu'il y avait en lui de pauvrement humain. Je me félicitais de ce qu'aucune admiration ne bridait plus mon amour.

II

Un jour, mon père sortit, contre sa coutume, après le déjeuner. Il revint à neuf heures, sifflotant et mystérieux. Il refusa de jouer à la belote. Il repoussa le traditionnel demi-brune que le garçon déposait devant lui et commanda une fine à l'eau et des frites. Même, il dit qu'il voulait être servi rapidement parce qu'il était pressé. Trolette et Bobillot le dévisageaient avec reproche.

« Tu as trouvé une affaire? demanda enfin Bobillot.

— Une affaire, non... une femme! »

Bobillot qui se balançait sur sa chaise, l'œil au plafond, les bras pendants jusqu'à terre, lança un jet de salive dans le crachoir et sourit avec hauteur.

Mon père parlait d'une voix vive :

« Une femme très bien... De grands yeux verts, obliques, comme je les aime, et une bouche en coques de ruban... Tu vois d'ici!... Une tête de petite vache, quoi!... J'ai fait sa connaissance dans le métro... Je dois la revoir ce soir...

— Mon Dieu! Mon Dieu! Mais c'est un vrai roman! s'exclama Trolette. Je suis peut-être indiscret, mais j'aimerais tellement que tu nous tiennes au courant... Comme elle doit être belle... Des yeux verts et une bouche en coques de ruban!... J'ai toujours eu confiance en ton goût...

— A propos, poursuivit mon père, je te demanderai de me prêter tes boutons de manchettes. Chez moi c'est attaché avec une ficelle, et j'avais tout le temps peur qu'elle ne le remarquât. Ah! mes amis, la vie est belle! »

Il tira un papier chiffonné de sa poche. En travers, un nom était écrit avec du rouge à lèvres, il épela :

« Minna Jourdain... Tu ne connais pas?... Bien sûr, elle n'est pas de votre monde!... »

Bobillot éructa gravement :

« Pour moi il y a deux sortes de garces : celles qui sont malades et celles qui en veulent à ton argent.

— Ne généralise pas tes expériences personnelles, dit mon père...

— Pif! Bien répondu! s'égaya Trolette...

— Eh! eh! Arrondis les angles, dit Bobillot. C'est bon, on ne t'en donnera plus de conseils! On ne t'en donnera plus! On te regardera patauger dans la m...

sans bouger le petit doigt! Et c'est toi qui l'auras voulu!... »

Mon père avait baissé la tête. Les paupières mi-closes, il paraissait suivre en lui-même le cheminement d'une pensée aimable. Un sourire un peu ivre desserra ses lèvres. Il avala d'un coup sec la goutte de fine qui tremblait dans son verre, clapa de la langue :

« Je ne suis pas trop dégueulasse, comme ça?

— Tu es incorrigible! dit Trolette. Tu doutes constamment de toi! »

Bobillot se détourna avec répugnance :

« Dirait-on pas que c'est une princesse, ta « raccrochée! »

— Ravale ton venin, aspic! D'ailleurs il est tard... Je file. »

Il se leva. Le garçon lui tendait son manteau.

« Et ce qu'il y a de bien, ajouta-t-il, c'est qu'elle habite seule. Alors, tu comprends, les frais sont réduits : on consomme sur place... »

Il eut un petit rire sec et honteux. D'une pichenette il inclina son feutre sur l'oreille :

« Adieu, mes agneaux... »

Il nous quitta.

Après son départ, Bobillot se répandit en propos amers sur l'« inconséquence de Guillaume » et « son culte du jupon ». Il dit aussi que la belote à trois était loin de présenter les charmes de la belote à quatre, et que, si mon père s'obstinait à renier ses partenaires, il se verrait dans l'obligation de lui chercher un remplaçant.

*

Désormais je ne revis mon père qu'aux heures des repas. Il arrivait en trombe, la figure bouffie, les yeux troubles, avec des plaques de poudre grasse au revers de son veston. Il nous plaisantait lourdement :

« Alors? Toujours l'abstinence? Mauvais pour la santé, ce truc-là! Regarde, tu as déjà des petits boutons plein la gueule : c'est le sang qui travaille! »

Il agitait sous le nez de Bobillot un mouchoir parfumé et souillé de rouge :

« Kss! Kss! Toro! »

Et Bobillot, vexé qu'il nous délaissât pour des « coucheries », protestait pompeusement

« Tais-toi... Tu es immoral! »

Mais au bout d'une semaine, Bobillot n'eut plus besoin de le morigéner pour le faire taire. Il rentrait plus tôt, et les épaules basses. Il revenait d'entrevues mystérieuses dont le souvenir l'occupait tout entier. Il évitait de parler. Seulement, lorsque Trolette lui demandait des nouvelles de son amie, il souriait d'un large sourire automatique sous la tristesse des deux yeux fixes et laissait tomber quelques mots sur la violence et la commodité de leur passion.

•

Je venais de me coucher, lorsque mon père entra Pâle, l'œil mauvais sous les sourcils descendus, il s'adossa au chambranle de la porte et respira longuement. Puis il dit d'une voix plane :

« Lève-toi, j'ai besoin de toi. »

Et comme je le considérais avec stupeur, il dit encore :

« Rassure-toi... rien de grave... »

Je m'habillai. Nous sortîmes. Par des rues que je ne connaissais pas, il m'amena devant une maison haute et grise où ne veillaient que trois fenêtres allumées. Il me prit le bras :

« C'est ici qu'elle habite... Minna Jourdain... Tu sais bien... En ce moment elle est malade... heu... Le docteur lui a défendu de sortir... Seulement, comme elle est invitée chez des amis, je crains qu'elle n'enfreigne cette prescription... Ce qui pourrait avoir des conséquences fâcheuses pour... pour sa santé... Des conséquences fatales, fatales... »

Il parlait du bout des dents, par maigres petites phrases mal prononcées. Mais cette désinvolture était fausse, dans l'attitude comme dans les paroles. Et il en souffrait, visiblement. Il fixa les yeux à terre pour ajouter :

« Voici ce que j'ai décidé : je vais surveiller l'entrée principale, toi la porte de service... elle donne sur une autre rue... je te montrerai... Si tu vois sortir une femme très grande, blonde, avec un manteau garni d'astrakan gris, tu n'auras qu'à siffler... J'accourrai... Entendu? Ça nous prendra une petite heure... Et au moins je serai sûr qu'elle n'a pas commis d'imprudence... »

Il toussa sèchement dans son poing. Puis il me guigna d'un œil inquiet :

« Allons », dit-il...

Il me posta devant la porte de service. Il me laissa. Je souriais de son mensonge. Pourquoi n'avouait-il pas qu'il soupçonnait cette femme de le tromper et qu'il désirait la surprendre? Pourquoi cherchait-il encore à me duper sur lui-même? Ne savait-il pas que je l'avais découvert, indécis, ignorant et peureux derrière ses attitudes autoritaires, et que je l'aimais ainsi? Ou bien, comme ces vieux acteurs rendus à l'oisiveté, ne pouvait-il se retrouver lui-même hors des rôles qu'il avait joués?

La porte de service était entrebâillée sur un couloir tortueux à l'haleine mauvaise, où se balançait la lumière oblongue d'un quinquet. La rue avait l'aspect désert inutile, oublié, d'une rue de province. De rares becs de gaz écartelaient sur le sol une clarté verdâtre. Il se mit à pleuvoir. Je poussai la porte et pénétrai dans le corridor. Longtemps je regardai la pluie fine, qui brillait obliquement dans le halo des réverbères, animait l'asphalte de moires bleutées, vernissait les façades aveugles des maisons. Son ruissellement emprisonnait mieux qu'une rangée de barreaux, son bruit innombrable éloignait les autres bruits mieux que des murs. L'eau passait le pas de la porte, coulait en grêles rigoles sur le carrelage disloqué. Je m'appuyai à la cloison qui me gela le dos. Je fermai les yeux, assourdi par le monotone tambourinement des gouttes.

Des pas me firent sursauter. Une femme, la tête au creux de son parapluie, tourna le coin du couloir, passa devant moi en bolide et fonça sous l'averse qui l'engloutit. Je sifflai. Je vis mon père qui accourait à grandes enjambées glissantes, en rasant les murs. Parvenu à ma hauteur, il s'arrêta, scruta la nuit avidement. Il dit :

« Tu appelles ça « une grande femme », toi! Un mètre soixante, oui!... Et encore je suis généreux! »

Il haletait. J'étais confus :

« Ce n'est pas elle? » dis-je.

Il me tourna le dos sans répondre. Il s'éloigna, pataugeant dans les flaques. Mais, cinq minutes ne s'étaient pas écoulées qu'il reparaissait au bout de la rue et m'appelait. Je le rejoignis. Il bégayait de rage :

« Evidemment, pendant que j'étais avec toi, elle a

filé!... J'ai vu le taxi qui démarrait!... Mais je n'ai pas distingué la tête du type!... Ça ne fait rien, elle ne l'emportera pas en paradis, ce coup-là, la salope!... Elle ne l'emportera pas en paradis!... »

Mais il s'aperçut que ce débordement de colère jalouse ne correspondait pas à l'explication qu'il m'avait fournie de notre randonnée. Il me lança un coup d'œil furibond et se tut. Nous fîmes quelques pas en silence. Il me regarda de nouveau. Et cette fois il dut lire sur mon visage une compassion sans étonnement et comprendre que j'avais su discerner l'homme qu'il était derrière celui qu'il voulait paraître. Même, la pensée de n'avoir plus à *porter beau* devant moi parut le soulager. Il s'abandonna. Il me raconta comment il avait connu cette femme, l'amour qu'il avait eu pour elle, sa trahison. Mais il piquait son récit de réflexions cyniques et termina par un « au fond, je m'en fous comme de l'an quarante », qui me prouva, une fois de plus, qu'il hésitait à se livrer entièrement. Un certain air de préméditation, d'apprêt, de pose, entachait ses plus fougueux élans de sincérité. Il avait besoin de baigner dans une atmosphère, si mince fût-elle, de mensonge. J'aurais dû m'en moquer, puisque je voyais en lui sans le secours de ses confidences. Pourtant, j'étais gêné à l'idée que cette lucidité ne me venait pas de lui, mais de moi-même, que ce n'était pas lui qui s'ouvrait à moi de ses faiblesses, mais moi qui m'efforçais de les deviner, qu'il n'y avait entre nous aucune franchise consentie mais une sorte d'espionnage du père par le fils, une lutte.

La pluie trempait nos visages, glaçait nos vêtements sur nos corps. Nos pieds clapotaient dans nos chaussures gorgées d'eau. Mon père s'arrêta devant les vitres embuées de lumière blonde du café. Derrière elles s'agitaient les ombres diluées des joueurs de billard.

« Entrons, dit mon père, j'ai froid! »

Nous bûmes un thé chaud sur le zinc. Mais nous ne restâmes pas à bavarder avec le plongeur, qui pourtant nous connaissait et à qui nous ne devions rien. Nous rentrâmes à l'hôtel.

Dans la chambre mal chauffée mon père tourna longtemps, se cognant aux meubles, soufflant dans ses mains gelées, reniflant à vide. Puis il se coucha. Mais comme j'allais éteindre, il chuchota d'une voix grelottante :

« Apporte mon *trench-coat,* mon veston, des trucs chauds... »

Je le recouvris de son manteau. Il le tira jusqu'au cou, rentra la tête dans ses épaules et dit avec un sourire navré :

« Je n'arrivais pas à me réchauffer... Maintenant, c'est mieux... Maintenant, je vais dormir... »

Mais toute la nuit je l'entendis remuer par soubresauts, souffler, geindre, marmonner. A quatre heures il se leva pour boire un verre d'eau. Puis il enfila des chaussettes, boutonna un chandail sur son pyjama et se remit au lit.

*

Au matin, il se plaignit de courbatures et refusa de se lever. Il avait son visage désolé et hargneux des heures de malaise ou d'insomnie. Selon son habitude, il affirma que cette fois c'était autre chose que la dernière fois, qu'il commençait à être sérieusement inquiet et qu'il fallait se renseigner sur l'adresse des pharmacies de garde dans l'arrondissement. Enfin, il me pria d'aller chercher Trolette et Bobillot qui l'attendaient au café. Il espérait d'eux une douloureuse stupéfaction, un apitoiement fraternel, une douceur miséricordieuse de la parole et du geste qui l'apaiseraient. Il fut déçu. Bobillot, tout à la joie d'avoir retrouvé son partenaire de belote, afficha un optimisme brutal qu'on ne lui connaissait pas :

« Un rhume, voilà tout! Grog, lit! Et dans deux jours il n'y paraîtra plus! Et même, avec ces poches sous les yeux, est-ce bien un rhume? Farceur! C'est une traînée qui t'aura encore crevé! Je t'avais prévenu! Je t'avais prévenu! »

Mon père sourit avec la méprisante indulgence d'un martyr expirant, et se tourna vers Trolette :

« J'ai les membres broyés, pulvérisés, comme par les roues d'un camion », dit-il.

Trolette ferma les yeux avec une brève horreur et mon père put croire un instant que le récit de ses souffrances avait enfin touché un cœur sensible. Mais Trolette passa mollement la main sur son front et parla d'une voix mélodieuse

« Moi aussi, moi aussi, j'ai mal partout! Cette nuit, je me réveille... j'écoute... et j'entends bzz, bzz... comme si un gros insecte me rongeait le tympan... et maintenant encore... »

Mon père insista nerveusement :

« Je ne peux rien avaler...

— C'est comme moi, c'est comme moi, dit Trolette. J'ai pris un quart Perrier au lieu de mon café crème, Une barre sur l'estomac,.. Un nœud aux intestins... »

Pour forcer une compassion aussi rétive, mon père dut noircir le tableau :

« Je vois trouble... comme à travers une buée », dit-il.

Et, d'un œil vainqueur, il épia l'inévitable confusion de Trolette. Mais Trolette poursuivit imperturbable :

« Tu vois trouble et les couleurs se fondent par

moment en une seule tache grise! N'est-ce pas? Je connais ça! Hélas! Je connais ça! »

Ainsi, chaque précision que mon père apportait sur son mal incitait son interlocuteur non pas à le plaindre mais à préciser le sien. Et de réplique en réplique, Trolette en arrivait à s'attendrir sur son imaginaire indisposition. A l'entendre, il ne pouvait plus marcher, respirer, assembler ses idées. Il était à deux doigts de sa perte. Et il lui fallait beaucoup de courage pour venir au chevet d'un autre. Mon père s'irritait d'être dépassé dans l'infortune, et que celui dont il attendait des paroles consolantes les réclamât lui-même. A la fin, n'y tenant plus, il hurla :

« Si tu étais si malade, tu n'avais qu'à rester chez toi. »

Bobillot étendit la main et dit, d'une voix de basse pacificatrice :

« Minute. Ne vous emballez pas. Et la belote?

— Je ne jouerai pas, dit mon père.

— Pourquoi?

— J'ai besoin de repos. »

Trolette et Bobillot se regardaient avec consternation. Mon père alluma une cigarette, la fuma par rapides bouffées, avec une expression exténuée et dédaigneuse. Tout à coup, il l'écrasa contre le marbre de la table de nuit et dit :

« A propos, j'aurai besoin d'argent pour les médicaments. Vous avez chez vous des lustres qui m'appartiennent... »

Trolette souffla sur ses ongles à petits coups et les polit au revers de son veston. Puis il leva la tête, posa sur mon père un regard tranquille et grasseya ce seul mot :

« Erreur.

— Quoi, quoi « erreur »? dit mon père.

Trolette sourit :

« Je dis « erreur ». Tu fais erreur. Nous ne possédons aucun lustre à toi... »

Mon père blêmit et bégaya d'une voix enrouée :

« Aucun... aucun lustre?... Ça s'est trop fort!... Et ceux que je vous ai confiés avant la saisie?... L'un à deux lampes, l'autre à trois, plus un abat-jour en verre dépoli! Tu ne vas pas me dire que je ne vous les ai pas confiés! Je te préviens que rien ne me met hors de moi comme d'entendre nier l'évidence! Et ça c'est l'évidence... l'évidence même!... Et puis ça suffit!... Je veux mes lustres!... Rendez-moi mes lustres!... »

Bobillot leva les bras au ciel :

« Il y a belle lurette qu'on les a vendus! » dit-il.

Mon père se dressa hors des couvertures et, les dix doigts ramenés sur sa poitrine, les yeux exorbités, cria :

« Vendu mes lustres! Vendu mes lustres!... Bande

de cochons!... Mais de quel droit?... Mais savez-vous que si je déposais une plainte!... Mais savez-vous que ça relève de la correctionnelle, ce truc-là!... Parfaitement!... »

Une douloureuse grimace attrista le visage de Trolette. Il modula :

« Ah! tais-toi, Guillaume! Tais-toi! Tes paroles me torturent sauvagement! Je ne te reconnais pas! Comment toi, si noble, si loyal, peux-tu te laisser aller à de pareilles trahisons? Je cherche un autre mot et je n'en trouve pas : « de pareilles trahisons ».

— Vous vendez mes lustres et c'est moi qui vous trahis! » glapit mon père au comble de l'indignation.

Mais Trolette, nullement démonté, approuva doucement :

« Et c'est toi qui nous trahis. Ecoute, mon ami, mon grand ami. Ces lustres, tu nous les avais donnés pour nous récompenser de nos conseils. C'était la moindre des choses, je le reconnais. Pourtant, Bobillot et moi, nous ne nous attendions pas à être ainsi gratifiés. Aussi avons-nous trouvé très, très, très gentil ce geste, au demeurant si naturel. »

La passe dangereuse franchie, ce fut Bobillot qui se rua dans les explications avec une furieuse joie :

« Même, quand on est rentré, Trolette m'a dit :
« Quel chic type, ce Guillaume! Evidemment il aurait
« pu trouver un cadeau plus utile! Mais nous ven

« drons celui-ci, — il n'aura rien à y redire — et ça
« nous arrangera. »

Et Trolette ajouta avec une mielleuse perfidie :

« Nous ne savions pas qu'il était dans tes habitudes de reprendre ce que tu donnais. »

Mon père, abasourdi, marmonnait :

« Bien sûr... Je ne reprends jamais ce que je donne... Ça tout le monde peut en témoigner... Seulement, en l'occurrence... il y a eu un malentendu...

— Tss! siffla Bobillot avec une stupéfiante impertinence.

— Oui, continua mon père, très pâle et les yeux fixés sur ses mains. A tout autre moment, je vous aurais donné ces lustres... Même j'y avais songé lors du déménagement... Mais les temps étaient difficiles... Les rentrées ne se faisaient pas... J'avais décidé de ne vous récompenser que plus tard... une fois mes affaires rétablies... De vous récompenser royalement...

— Je te crois, je te crois, dit Trolette.

— De sorte que ces lustres m'appartiennent et n'ont jamais cessé de m'appartenir, conclut mon père.

— Tes actes démentent tes pensées! lança Bobillo qui se sentait éloquent.

— Ne sois pas mal poli, Bobillot, s'effaroucha Trolette! En offensant Guillaume, c'est moi que tu offenses! »

Et, posant sa main sur l'épaule de mon père, il expliqua :

« Il a voulu dire que lorsque tu nous as remis les lustres, tout nous portait à croire que tu nous les donnais, tout nous autorisait à les vendre.

— Bien sûr... Bien sûr, approuva mon père. Et je ne vous reproche pas de les avoir vendus... Seulement, mettez-vous à ma place... Je comptais sur les cinquante francs que m'aurait procurés leur vente, et maintenant... »

Trolette partit d'un exaspérant rire de tête :

« Cinquante francs! Tu te moques du monde. Ho! Ho! Ho! Cinquante francs! Tape-moi dans le dos, Bobillot, j'étouffe! Cinquante francs! Vingt, mon pauvre ami! Nous les avons vendus vingt francs!

— Eh bien, vingt francs; c'est toujours ça, dit mon père.

— Bref, tu veux que nous te prêtions de l'argent, dit Bobillot avec rondeur.

— J'estimais, commença mon père...

— Mais nous n'en avons plus un sou de ces vingt francs! s'impatienta Bobillot.

— Quinze, dit mon père.

— Non, dit Bobillot.

— Dix, dit mon père.

— Non », dit Bobillot.

Mais Trolette implora :

« Si, si, Bobillot... Guillaume est un ami... Il faut lui donner ces dix francs qu'il nous réclame... Je me priverai de manger s'il le faut, mais je ne les lui refuserai pas!...

— Quand aurais-je l'argent? insista mon père.

— L'argent! Toujours l'argent! s'ébroua Trolette. Tu n'as que ce mot dans la bouche! Ah! Fi! Guillaume! Fi! Comme s'il pouvait être question d'argent entre nous! L'argent! Tu l'auras ton argent! Tes dix francs! Tu les auras demain... après-demain au plus tard! »

Il s'éventait prestement avec un journal. Bobillot répétait :

« Ma parole, il nous prend pour un garde-meubles! »

Mon père laissa passer les dernières imprécations. Puis il dit :

« Vous vouliez jouer à la belote, je crois? »

*

Pendant les trois jours qui suivirent, mon père resta étendu, brûlé de fièvre, secoué de toux sèches et se mouchant sans cesse dans un linge pendu à son chevet. Je lui lisais les journaux. Il écoutait distraitement. Il grognait avec une sourde voix de gorge :

« On m'oublie... On ne s'occupe pas de moi... Peux crever, qu'on s'en foutra... »

Je lui apportais une cuvette et un verre plein d'une

solution d'acide borique. Il se gargarisait, crachait, s'essuyait la bouche avec le revers de la main et retombait au creux de ses oreillers :

« Tu crois que ça aide, cette cochonnerie?... J'ai de plus en plus mal à la tête... Il faudrait de l'aspirine... »

Je lui tendais un cachet.

« Vaut-il mieux l'avaler tout rond ou le mâcher?

— Je ne sais pas. »

Il agitait les mains par petits sauts le long de ses flancs :

« Tu ne sais pas! Tu ne sais pas! Voilà comment on me soigne... à l'aveuglette! « Prends ceci, prends « cela... » Et pourquoi? Hein? Hein? On peut tuer un homme comme ça!... »

Mais pour moi qui me souvenais de l'affolement qui l'avait saisi lors de son angine, à la campagne, ce flot d'imprécations ne m'effrayait plus. Je regardais avec amusement cet homme grand et fort qui tremblait devant le moindre malaise. En lui toute détresse corporelle ou morale m'était douce comme l'affirmation d'une sincérité que je recherchais. Je m'attendrissais sur cette belle vigueur épuisée soudain et qu'il m'appartenait peut-être de ranimer. Et puis, il me semblait qu'ainsi enfermé il ne pouvait gaspiller pour d'autres une affection à laquelle j'attachais tant de prix. L'isolement le livrait à moi et me livrait à lui fatalement. J'étais heureux avec sécurité.

III

Le quatrième jour la température baissa. Mon père s'en flatta comme d'une victoire. Il m'expliqua qu un homme normal devrait triompher de ses maladies sans le secours des médecins ou des pharmaciens. « Le microbe n'est rien, c'est le terrain qui est tout », citait-il avec emphase. Et il ajouta, gonflant la poitrine et déployant les bras :

« Que penses-tu de mon terrain! Pas trop démoli, hein? »

Puis il dit qu'il en avait assez de moisir dans une chambre d'hôtel et qu'il profiterait de ce que Trolette et Bobillot ne lui avaient pas apporté les dix francs promis pour aller les relancer chez eux.

Il se rasa voluptueusement, s'habilla de linge frais et sortit.

Il revint vers dix heures, blême, fourbu et de mauvaise humeur. Il m'annonça que Trolette et Bobillot lui proposaient quinze faux cols amidonnés en paiement de leur dette, qu'il avait refusé et qu'après les injures qu'ils avaient échangés, son code de l'honneur lui interdisait de les revoir jamais. Enfin il se coucha, éteignit. Mais je ne pus m'endormir. Cette nouvelle brouille éveillait en moi le souvenir d'autres brouilles, d'autres désenchantements... Je songeais à toutes les idées, à tous les êtres qui avaient traversé sa vie. Il ne s'attachait à rien. Ses passions étaient de courte haleine. On avait l'impression qu'il voulait remuer le plus grand nombre de projets possible, plaire au plus grand nombre de personnes possible, et que cette perpétuelle soif de nouveautés l'écartait de ces projets et de ces personnes aussitôt qu'il en avait effleuré l'existence. Et ce qu'il avait délaissé ne revenait jamais sur sa route. D'autres gens, d'autres choses l'attiraient, aussi aimables que les précédents. Et après ceux-là, d'autres l'attiraient encore. Le monde filait autour de lui comme l'eau sur les flancs d'un navire. Et je le suivais, emporté dans son sillage tumultueux. J'étais seul à le suivre.

J'allais m'assoupir sur cette orgueilleuse pensée, lorsque j'entendis haleter près de moi, comme si une bête essoufflée par sa course venait de s'abattre dans la pièce. Une voix que je reconnus à peine, râlait :

« Allume! Allume! »

J'allumai. Mon père était assis sur ses couvertures rejetées. Il tournait vers la lumière une face violacée, où des yeux stupides, implorants, épouvantés saillaient sous les paupières réduites. Il avançait le cou, ouvrait une bouche avide, comme pour happer loin de son corps un air plus frais. Et la sueur cirait ses joues tremblantes, son front barré de veines, et tombait par lourdes gouttes du menton. Je retins un cri. Je murmurai :

« Qu'est-ce que tu as? »

Il secoua la tête sans répondre. La plainte s'enfla dans un grondement de marée montante, baissa, s'enfla encore... Je demeurai devant lui, éperdu, sans force pour le secourir. Il agita une main dans la direction de la fenêtre. Affolé, je tirai à moi les deux battants. Le vent vif de la nuit ballotta les pans lâches de son pyjama. Sur la table, les feuilles d'un livre tournèrent. Il respira plus librement. Je passai mon mouchoir sur son visage. A présent, il toussotait avec d'étranges gargouillements. Et il écoutait ces gargouillements, la langue pendante, les prunelles arrondies par une effrayante attention.

Je me précipitai dans le couloir de l'hôtel. Un couple venait de quitter sa chambre et le garçon d'étage changeait les draps et vidait les cendriers. Je l'envoyai chercher le docteur.

Lorsque je revins auprès de mon père, il n'avait pas bougé. Le regard apeuré, les narines enflées, il toussait par brèves quintes et essuyait à pleins doigts un liquide mousseux et rose qui lui coulait des lèvres. Sa poitrine découverte luisait d'une cuirasse de sueur. Il n'y avait pas d'essuie-mains. Je saisis sa chemise jetée sur la chaise et j'épongeai son visage, son cou, ses bras... Il restait un peu d'eau de Cologne dans un flacon. J'en mouillai ses tempes. Mais l'eau de Cologne était violemment parfumée. Et ce parfum lui donna la nausée. Il se plaignit avec de petits grognements enfantins. Des hoquets coupèrent sa toux. Ses yeux s'injectèrent de sang. Je balbutiai à son oreille :

« Le docteur viendra... Tu verras... Ça ira mieux tout de suite... »

Mais le docteur ne vint qu'au bout d'une demi-heure.

C'était un petit homme recroquevillé et jaune, le menton effilé en barbiche, les yeux noyés sous les verres bleuâtres d'un lorgnon. Il chaussa son nez d'un second lorgnon et s'approcha de mon père. Il dit :

« Ah! ah! voilà le malade!... Ça l'a pris brusquement?... »

Deux fois, il appliqua l'oreille à son dos et se releva précipitamment. Il ouvrit sa trousse, fourragea de ses mains tremblantes, revint avec un cordon de caoutchouc dont il ligatura le bras gauche de mon père. Et, comme il serrait en tirant sur les deux extrémités du cordon, sa barbiche oscillait de droite à gauche nerveusement. Je demandai :

« Ce n'est rien? »

Il ne m'écoutait pas. Il frottait l'emplacement de la saignée avec un bout de coton imbibé d'éther. Puis il sortit une longue aiguille d'une boîte métallique tapissée de gaze, l'examina un instant, et d'un coup sec la piqua dans la peau bleuie, sillonnée de fines veines. Mon père eut un sursaut et se remit à tousser :

« Là... là, disait le docteur, vous n'allez pas me dire que ça fait mal... D'ailleurs le sang n'est même pas venu... Il faudra recommencer... »

Et il ajouta pour s'excuser :

« Le malade a des veines très profondes... très peu apparentes... »

Il cueillit un réglisse dans sa poche et le suça, les joues aspirées en entonnoir. Ensuite, il rajusta son lorgnon et promena ses doigts torves aux ongles rognés sur le bras de mon père. De nouveau, il piqua l'aiguille au pli du coude. Et, cette fois encore, il manqua son but. Il hocha la tête avec des « ktt, ktt » agacés. De son mouchoir roulé en boule, il essuya ses paumes moites. Il se moucha. Il dit :

« Ecartez-vous de la lumière, je ne vois rien. »

Il changea d'aiguille, la laissa échapper, la chercha parmi les draps, en choisit une autre. Mon père suffoquait, et ses pupilles couraient, folles, sur le blanc de ses yeux noyés de larmes. Il grondait :

« Vite, vite, quoi... »

A la troisième fois, le docteur trouva la veine. Un filet de sang gicla, souple, délié, spasmodique. Aussitôt, il présenta une cuvette. Un doux ruisselis. Je regardai les éclaboussures rouges sur l'émail blanc. Elles s'allongeaient, s'égouttaient. Une brusque faiblesse ramollit mes jambes. Ma vue se brouilla. Je crus m'évanouir. Je me détournai. Lorsque je regardai à nouveau, le docteur appuyait sur un tampon d'éther sur la saignée et repliait le bras.

« C'est fini, n'est-ce pas? bredouilla mon père.

— Encore une petite piqûre de morphine...

— Laissez-moi... Dis-lui, Jean... »

Mais après la piqûre, un merveilleux soulagement pacifia la face crispée et transpirante. Le souffle s'égalisa sur les lèvres entrouvertes. Les paupières descendirent lentement.

Le docteur se tourna vers moi :

« Diagnostic aisé, dit-il : œdème aigu du poumon... »

Le mot : aigu, me frappa.

« C'est grave?

— C'est sérieux. Tout dépend de ses possibilités de réaction. Pour l'instant je ne vois rien de spécial à recommander. Médication courante : purge, ventouses... Demain il sera très faible. Aucune importance. Je repasserai dans la soirée. Et selon l'évolution de la maladie nous verrons ce qu'il y a lieu d'entreprendre. »

Il frottait ses mains exangues l'une contre l'autre. Il paraissait heureux d'en avoir fini. Un instant il chercha son cache-nez, tournant sur place. Puis il dit :

« Où ai-je la tête! J'étais venu sans cache-nez! C'est à côté... »

Il sortit.

•

Mon père se tenait assis dans le lit, le dos soutenu par des coussins et des manteaux roulés, car il suffoquait dès qu'il était étendu. Son visage livide, cendré de barbe, affaissé aux tempes et aux joues et trempé d'une sueur incessante, creusait profondément les oreillers. A huit heures du matin, il m'appela d'une voix mesurée. Je m'approchai.

« Hier... qu'est-ce qu'il t'a dit?... »

Je le calmai :

« Rien de grave... »

Il remua les lèvres sur des mots que je ne compris pas. Il se rendormit. Je lui touchai le front. Il était humide et glacé, et la peau tressauta sous ma caresse. Je m'assis à son chevet. Malgré le grand jour, je n'avais pas ouvert les volets, et du bout de son fil l'ampoule éclairait de jaune le chaud désordre de la chambre. Une odeur de fièvre. Le bruit énorme d'une respiration dans le silence, d'un sommier qui grince, d'une couverture que froissent des mains somnolentes. Des pas dans le couloir. Le lointain vrombissement d'un autobus, l'appel d'une trompe de rempailleur. Et de nouveau la respiration, le sommier grinçant, les couvertures froissées. Pendant des minutes, des heures. Tout à coup, j'entendis un bouillonnement rauque et mon père parla, lentement, soufflant entre chaque parole et sans rouvrir les yeux :

« Ecoute... Je suis faible... Plus faible qu'avant... Et si je ne guérissais pas?... Tout de même... hein?... Si je ne guérissais pas?...

— Quelle idée! Le docteur m'a prévenu que tu te sentirais épuisé aujourd'hui... C'est normal... Tâche de dormir... »

Il éleva devant son visage une main osseuse et la contempla avec une sorte de panique lamentable :

« Dormir... Je n'ai pas le temps de dormir... Regarde mes mains... Je n'ai pas le temps... Minutes précieuses... Il faut travailler... Je ne peux pas m'en aller comme ça... sans avoir rien achevé... rien laissé... Je ne veux pas qu'on m'oublie... Quoi?... Tu ne m'oublieras pas?... Mais toi... ça m'est égal... Je sais bien que tu n'as jamais douté de moi!... C'est les autres!... Tous!... Tous les crétins... les salauds qui ont tourné autour de moi!... Qui m'ont empoisonné!... Je ne veux pas qu'ils disent : « Il a parlé... parlé... et rien!... » Je veux leur montrer!... Je veux qu'ils sachent... Je veux... »

Ses yeux luisaient, exorbités, fixes. Ses joues s'enflammaient. Il répéta d'une voix sans timbre :

« Je veux qu'ils sachent... »

Il se tut. Il s'appliqua à respirer. Longtemps je n'entendis que le roulement de l'air dans son gosier et le clapotis de la salive remuée. Puis il dit :

« Ecoute... Tu te souviens... Le livre sur le Japon... Je voudrais l'écrire... Donne-moi de l'encre... un stylo...

— Tu es trop faible. »

Il grogna :

« Voilà! C'est toi!... C'est vous qui m'avez toujours empêché d'achever ce que j'avais commencé... de créer!... Et maintenant encore!... Vous avez gâché ma vie!... Vous êtes... Vous êtes responsables de tout!... »

Comme il criait, je lui apportai ce qu'il demandait. Il posa le papier sur ses genoux. Il souleva la tête avec une grimace de douleur. Il scruta la feuille :

« Ecrire... Ecrire... Comment était-ce déjà... « Préface »... »

Il traça des mots aux lettres chevauchantes. Mais le stylo qu'il serrait à peine lui tomba des doigts.

« Ecris, toi... « Préface »... Mais peut-être n'aurais-je

pas le temps de tout dicter... Alors il vaut mieux indiquer seulement le plan... Tu développeras toi-même... Ecris d'abord... « Comparaison des deux mentalités »... Plutôt « Parallèle des deux »... Mais le livre... Le livre sera sous mon nom... je l'exige... Tu me jures... Mais non... Laisse... Je réfléchis... Il y a mieux... Beaucoup mieux... Tu te rappelles... l'assèchement des marais de Bessarabie... Je vais t'expliquer l'affaire... Mais combien d'hectares?... Sais plus... Pas d'importance... Tu auras le renseignement à l'ambassade... Demande monsieur... Et Fisquet?... Le retrouver... pour le yaourt... Ne fais pas la grimace... Il ne faut pas oublier le yaourt... Moins d'envolée... Tout de même c'est de l'argent... Tu te souviens : « Yaourt Kalmouk, pasteurisé et tonifiant... » Seulement qu'on sache que c'est moi... Moi et pas les autres... Que c'est moi, moi... Et la crème... « Neige de Pompéi »... Une seule petite cuillerée de White Horse cold-cream»... une seule petite cuillerée »... Elle n'a pas laissé la recette, la garce... Mais je rétablirai... Vaseline... cinq grammes... cire deux grammes... trois grammes... suc de laitue... D'ailleurs, j'ai autre chose en tête, actuellement... Formidable!... Quel feu d'artifice que ma vie!... Ici là... ici là!... Sous toutes les latitudes!... Dans tous les domaines!... Où il y a quelque chose à faire... je le fais!... De l'argent à gagner... je le gagne!... Autour de moi stupeur... jalousie... regrets!... « Oh! si j'avais su!...

Oh! si j'avais su!... » Trop tard! Trop tard! Trop tard!... Subissez!... Un mot de moi et tout croule... Liquidations... banqueroutes... panique!... Un autre mot... La confiance renaît!... Milliards! Milliards à flots!... A torrents!... Et moi au milieu de tout ça!... Moi avec tous ces yeux tournés vers moi!... Tous ces espoirs liés à moi!... Moi! Moi!... Regardez-moi!... Je suis partout!... Je vois tout!... Je dirige tout!... Le maître!... Je suis le maître!... A la force des poignets!... A la sueur de mon front!... Le maître!... »

Les paroles moururent dans une étrange plainte à peine modulée, comme lorsqu'on chante à lèvres closes pour apaiser un enfant. Ensuite la plainte se fit vibrante, éraillée, caverneuse. Il hoqueta dans un effort convulsif :

« J'aurai longtemps attendu mon heure!... N'importe!... Maintenant ça y est!... Maintenant j'ai donné ma mesure!... Ils sauront!... Ils comprendront quel homme... quel homme... ils ont perdu!... C'est tout ce qu'il fallait!... »

Et la plainte reprit :

« Qu'as-tu? »

A tout hasard, j'approchai un verre d'eau de ses dents écartées. L'eau coula des deux coins de la bouche sans que la plainte s'interrompît. Je l'appelai. Je lui demandai :

« Tu m'entends? »

Et soudain, je compris qu'il râlait. Une terreur éperdue me frappa. Je ne vis plus rien. Je faillis tomber. Je m'accrochai à la table. Puis, d'un bond, je fus dehors. Et là, collé au mur du couloir, les membres crispés, les yeux hors de la tête, je hurlai enfin.

IV

Assis devant le lit pour la veillée, je sentais sourdre en moi une douleur moins organique, plus réfléchie, plus redoutable que la première. C'était la montée lente des souvenirs. Ils venaient, enhardis par l'ombre et le silence. Sans lutte ils prenaient possession de moi. Je revoyais mon père, debout sous la pluie, ou commandant un demi, le doigt levé, l'œil rieur, ou claquant une carte sur la table, ou s'emportant contre une femme — Hortense, Gisèle, ma tante — ou marchant, cheveux au vent, la poitrine libre, par les routes ensoleillées. Je le ressuscitais dans ses attitudes et ses intonations familière.

« Seul! »

Je répétais ce mot sans en tarir l'horreur. Il évoquait une vie privée de toute chaleur, traversée de figures indifférentes, sournoises ou imbéciles, un repliement sur soi-même dont j'avais perdu l'habitude.

Mieux qu'aucun autre, il donnait son prix à la secrète connivence qui depuis peu m'avait rapproché de mon père. Et je me pris à regretter de ne l'avoir connu que si tard. Je m'emportai contre mon interminable apprentissage du bonheur. Comment avais-je pu me tromper si longtemps sur son compte? Comment avais-je pu si longtemps exiger de lui le miracle dont il n'était pas digne? Comment ne l'avais-je pas découvert dès le premier jour, tapi mal à l'aise dans le personnage qu'il désirait jouer? Tout le retard de mon amour venait de cet aveuglement. Un pauvre homme, incapable de grands gestes, de grandes idées ou de grands sentiments, voilà ce qu'il était, me dis-je, et c'est ainsi qu'il me faudra le chérir en mémoire. Je levai la tête.

Et soudain, comme une prodigieuse réponse à ma pensée, j'aperçus la face du cadavre. Je ne la reconnus pas d'abord, et faillis m'en écarter de saisissement. Puis des impressions plus anciennes me familiarisèrent avec elle et je compris que j'avais devant moi la véritable figure de mon père, celle que j'avais reniée de son vivant et qu'il m'imposait dans la mort. La flamme des bougies l'éclairait d'une lueur tremblante, comme ce soir où il s'était dressé au-dessus de l'arbre de Noël, suspendu entre ciel et terre, les mains hautes et semblant prêt à prendre son vol dans la clarté dorée des lumignons. A présent aussi une beauté indestructible l'éloignait de moi. Sur le profil endormi, plus rien ne subsistait des rides soucieuses, des bouffissures louches, de toutes ces imperfections mortelles qui le déparaient jadis. Vraiment, au terme d'une vie dédiée aux belles actions et comblée de réussites miraculeuses, mon père n'aurait pas eu un autre visage.

IMPRIMÉ EN FRANCE PAR BRODARD ET TAUPIN
6, place d'Alleray - Paris.
Usine de La Flèche, le 04-02-1972.
6835-5 - Dépôt légal n° 1346, 1er trimestre 1972.
1er Dépôt : 4e trimestre 1960.
LE LIVRE DE POCHE - 22, avenue Pierre 1er de Serbie - Paris.
30 - 11 - 0618 - 13

Littérature, roman, théâtre poésie

Abellio (Raymond).
Les yeux d'Ezéchiel sont ouverts, 2427**.
Achard (Marcel).
Jean de la Lune, 2458*.
Acremant (Germaine).
Ces dames aux chapeaux verts, 2401**.
Alain-Fournier.
Le grand Meaulnes, 1000*.
Albee (Edward).
Qui a peur de Virginia Woolf?, 2624**
Allais (Alphonse).
Allais... grement, 1392*.
A la une... 1601*.
Plaisir d'Humour, 1956*.
Ambrière (Francis).
Les Grandes Vacances, 693**.
Anet (Claude).
Mayerling, 2534*.
Anouilh (Jean).
Le Voyageur sans Bagage suivi de *Le Bal des Voleurs*, 678*.
La Sauvage suivi de *L'Invitation au Château*, 748**.
Le Rendez-vous de Senlis suivi de *Léocadia*, 846*.
Colombe, 1049*.
L'Alouette, 1153*.
Becket, 1716*.
Fables, 2076*.
La Répétition ou l'Amour puni, 2383*.
Aragon (Louis).
Les Cloches de Bâle, 59**.
Les Beaux Quartiers, 133**.
Les Voyageurs de l'Impériale, 768***.
Aurélien, 1142***.
Le Paysan de Paris, 1670*.
Les Communistes, t. 1, 2248**
t. 2, 2249**
t. 3, 2318**
t. 4, 2319**.
Anicet, 2530*.

Arland (Marcel).
Terre natale, 1264*.
Antarès suivi de *La Vigie*, 2143*.
Arnaud (Georges).
Le Salaire de la Peur, 73*.
Le Voyage du mauvais Larron, 1438*
Asturias (Miguel Angel).
Monsieur le Président, 2503**.
Audiberti (Jacques).
Le Mal court suivi de *L'Effet Glapion*, 911*.
Le Maître de Milan, 2169*.
Audoux (Marguerite).
Marie-Claire, 742*.
Aymé (Marcel).
La Jument verte, 108*.
La Tête des Autres, 180*.
Le Passe-Muraille, 218*.
Clérambard, 306*.
Lucienne et le Boucher, 451*.
La Vouivre, 1230*.
Travelingue, 1468*.
Le Chemin des Ecoliers, 1621*.
Uranus, 2114**.
La Belle Image, 2331*.
Derrière chez Martin, 2633**.
Barbusse (Henri).
L'Enfer, 591*.
Barjavel (René).
Ravage, 520*.
Tarendol, 2206**.
Barrès (Maurice).
La Colline inspirée, 773*.
Le Culte du moi, 1964**.
Les Déracinés, 2148**.
Leurs figures, 2251**.
Colette Baudoche, 2324*.
Barrow (John).
Les Mutins du «Bounty», 1022**.
Bastide (François-Régis).
La vie rêvée, 2558**.
Baum (Vicki).
Lac-aux-Dames, 167*.
Grand Hôtel, 181**.
Sang et Volupté à Bali, 323**.
Prenez garde aux Biches, 1082**.

Dos Passos (John).
Manhattan Transfer, 740**.
Drieu La Rochelle.
Gilles, 831**.
L'Homme à cheval, 1473*.
Le Feu follet, 2199*.
Druon (Maurice).
Les Grandes Familles, 75**.
La Chute des Corps, 614**.
Rendez-vous aux Enfers, 896**.
La Volupté d'être, 1493*.
Duhamel (Georges).
Vie des Martyrs, 1966*.
Civilisation, 2209*.
Le Voyage de Patrice Périot, 2601*.
CHRONIQUE DES PASQUIER
(ordre chronologique) :
1. *Le Notaire du Havre*, 731*.
2. *Le Jardin des Bêtes Sauvages*, 872*.
3. *Vue de la Terre Promise*, 963*.
4. *La Nuit de la Saint-Jean*, 1150*.
5. *Le Désert de Bièvres*, 1363*.
6. *Les Maîtres*, 1514*.
7. *Cécile parmi nous*, 1664*.
8. *Le Combat contre les ombres*, 2146**.
9. *Suzanne et les jeunes hommes*, 2323**.
10. *La Passion de Joseph Pasquier*, 2444*.

Dumas Fils (Alexandre).
La Dame aux Camélias, 2682**
Duras (Marguerite).
Un barrage contre le Pacifique, 2443**.
Durrell (Lawrence).
Justine, 993**.-
Balthazar, 1060**.
Mountolive, 1130**.
Clea, 1227**.
Cefalû, 1469**.
Dutourd (Jean).
Au Bon Beurre, 195**.
Les Taxis de la Marne, 865*.
Une Tête de Chien, 1967*.
Estang (Luc).
Les Stigmates, 2250**.
Cherchant qui dévorer, 2544***.
Fallet (René).
Banlieue Sud-Est, 2157**.
Paris au mois d'août, 2428*.
Farrère (Claude).
L'Homme qui assassina, 2347*.
Faulkner (William).
Sanctuaire, 362**.
Le Bruit et la Fureur, 501**.
Lumière d'Août, 753***.
Pylône, 2469**.
Ferber (Edna).
Saratoga, 304**.
Feydeau (Georges).
Occupe-toi d'Amélie suivi de *La Dame de chez Maxim*, 581**.
Un Fil à la patte suivi de *Le Dindon*, 1440**.
La Puce à l'oreille, 2506**.
Fitzgerald (F. Scott).
Gatsby le Magnifique, 900*.
Tendre est la nuit, 2605**.
Fleuret (Fernand).
Histoire de la Bienheureuse Raton, Fille de Joie, 576*.
Foldes (Yolande).
La Rue du Chat-qui-Pêche, 254**.
Fourest (Georges).
La Négresse Blonde suivi de *Le Géranium Ovipare*, 1364*.
France (Anatole).
La Rôtisserie de la Reine Pédauque, 481*.
Les Dieux ont soif, 833*.
L'Ile des Pingouins, 1279**.
Le Lys rouge, 1371**.
L'Orme du Mail, 1403*.
Le Mannequin d'Osier, 1521*.
L'Anneau d'améthyste, 1485*.
Monsieur Bergeret à Paris, 1974*.
Le Crime de Sylvestre Bonnard, 2129*.
Les contes de Jacques Tournebroche, 2198*.
Les Opinions de M. Jérôme Coignard, 2542*.
Frank (Anne).
Journal, 287*.
Frapié (Léon).
La Maternelle, 490*.
Galsworthy (John).
Le Propriétaire, 1313**.
Aux Aguets, 1474**.
A Louer, 1523**.
Épisodes et *Derniers épisodes des Forsyte*, 1672**.
Garcia Lorca (Federico).
La Maison de Bernarda suivi de *Noces de Sang*, 996*.
Gary (Romain).
Éducation européenne, 878*.
Les Racines du ciel, 2182**.
Gascar (Pierre).
Les Bêtes suivi de *Le Temps des*

Mac Donald (Betty).
L'Œuf et moi, 94*.
MacLean (Alistair).
Les Canons de Navarone, 904**.
H.M.S. Ulysses, 984**.
Le Dernier Passage, 2416**.
Nuit sans fin, 2589**.
Mac Orlan (Pierre).
Le Quai des Brumes, 115*.
La Bandera, 321*.
Marguerite de la Nuit, 415*.
Le Chant de l'Équipage, 733*.
A bord de l'Étoile Matutine, 870*.
Mademoiselle Bambù, 1720*.
Maeterlinck (Maurice).
La Vie des Abeilles, 992*.
La Vie des Fourmis, 1213*.
Mailer (Norman).
Les Nus et les Morts, 814***.
Malaparte(Curzio).
Kaputt, 19**.
La Peau, 495**.
Le Soleil est aveugle, 1107*.
Mallet-Joris (F.).
Le Rempart des Béguines, 1031*.
Malraux (André).
La Condition humaine, 27*.
Les Conquérants, 61*.
La Voie royale, 86*.
L'Espoir, 162**.
Mann (Thomas).
La Montagne magique (t. 1), 570**.
La Montagne magique (t. 2), 572**.
La Mort à Venise suivi de *Tristan*, 1513*.
Mansfield (Katherine).
La Garden Party, 168*.
Marceau (Félicien).
Les Élans du Cœur, 284*.
En de Secrètes Noces, 1129*.
Capri, Petite Ile, 1281*.
Bergère légère, 1425*.
L'Homme du Roi, 2170*.
Margerit (Robert).
Le Dieu nu, 524*.
Mont-Dragon, 2621**.
Margueritte (Victor).
La Garçonne, 1952**.
Martet (Jean).
Le Récif de Corail, 88*.
Marion des Neiges, 111*.
Martin du Gard (Roger).
Les Thibault (t. 1), 422**, (t. 2), 433**, (t. 3), 442**. (t. 4), 463**, (t. 5), 476**.
Jean Barois 1125**.
Masson (Loys).
Le Notaire des Noirs, 2348*.
Maugham (Somerset).
Le Fil du Rasoir, 17**.
Archipel aux Sirènes, 424*.
Le Sortilège malais, 521*.
Amours singulières, 560*.
Servitude humaine, 596***.
La Passe dangereuse, 730*.
Mr. Ashenden, agent secret, 778*.
La Lune et 75 centimes, 867*.
Catalina, 1145*.
Plus ça change, 1256*.
Maupassant (Guy de).
Une Vie, 478*.
Mademoiselle Fifi, 583*.
Bel Ami, 619**.
Boule de Suif, 650*.
La Maison Tellier, 760*.
Le Horla, 840*.
Le Rosier de Madame Husson, 955*.
Fort comme la Mort, 1084*.
La Petite Roque, 1191*.
Les Contes de la Bécasse, 1539*.
Miss Harriet, 1962*.
Mistl, 2156*.
Pierre et Jean, 2402*.
Toine, 2554*.
Les Sœurs Rondoli, 2636*.
Mauriac (François).
Thérèse Desqueyroux, 138*.
Le Nœud de Vipères, 251*.
Le Mystère Frontenac, 359*.
Les Anges noirs, 580*.
Le Désert de l'Amour, 691*
La Fin de la Nuit, 796*.
Le Sagouin, 1048*.
Le Baiser au Lépreux, 1062*.
Genitrix, 1283*.
Destins, 1526*.
Mémoires intérieurs, 1504**.
Maurier (Daphné du).
Le Général du Roi, 23**.
L'Auberge de la Jamaïque, 77**.
Ma Cousine Rachel, 364**.
Rebecca, 529**.
Les Oiseaux, 1127**.
Le Bouc émissaire, 1334**.
La Chaîne d'amour, 2533**.
Maurois (André).
Les Silences du Colonel Bramble suivi des *Discours* et des *Nouveaux Discours du Dr O'Grady*, 90**.
Climats, 2676**.
Le Cercle de Famille, 482**.
Ni Ange, ni Bête, 810*.

César, 161*.
Topaze, 294*.
La Femme du Boulanger, 436*.
La Gloire de mon Père, 1359**.
Le Château de ma Mère, 1488**.
Le Temps des Secrets, 1718**.

Pasternak (Boris).
Le Docteur Jivago, 1078***.

Paton (Alan).
Pleure, ô Pays bien-aimé, 216**.

Pauwels (Louis).
L'Amour monstre, 1980*.

Pauwels (Louis) et Bergier (Jacques).
Le Matin des Magiciens, 1167***.

Pavese (Cesare).
Le Bel Été, 1384**.

Paysan (Catherine).
Nous autres les Sanchez, 1968*.

Peisson (Edouard).
Hans le Marin, 257*.
Le Sel de la Mer, 518**.
Parti de Liverpool, 855*.

Penn Warren (Robert).
Les Fous du Roi, 2338***.

Pergaud (Louis).
La Guerre des Boutons, 1330**.

Perret (Jacques).
Le Caporal épinglé, 1573***.
Bande à part, 853*.
Le vent dans les voiles, 2426*.

Peyré (Joseph).
Matterhorn, 280*.
Sang et Lumières, 533**.
L'Escadron blanc, 610*.
Croix du Sud, 922*.
Mont Everest, 1486*.
Une Fille de Saragosse, 2475*.

Peyrefitte (Roger).
Les Clés de saint Pierre, 1249**.
La Mort d'une Mère, 1308*.
La Fin des Ambassades, 1420**.
Les Amours singulières, 1490*.
Les Fils de la lumière, 1674**.
Du Vésuve à l'Etna, 1976**.
Chevaliers de Malte, 2144**.
La Nature du Prince, 2279*.

Philippe (Charles-Louis).
Bubu-de-Montparnasse, 2485*.

Pirandello (Luigi).
Six Personnages en quête d'auteur suivi de *La Volupté de l'Honneur*, 1190*.
Feu Mathias Pascal, 2484**.
Chacun sa vérité, 2602*.

Plisnier (Charles).
Faux Passeports, 1309**.
Mariages, t. 1, 1571**, t. 2, 1599**.
Meurtres, t. 1, 1991**.
t. 2, 2118**, t. 3, 2326**.

Pompidou (Georges).
Anthologie de la Poésie française, 2495**.

Pourrat (Henri).
Gaspard des Montagnes (t. 1), 2015**. (t. 2), 2016**.

Prévert (Jacques).
Paroles, 239*.
Spectacle, 515*.
La Pluie et le beau Temps, 847*.
Histoires, 1525*.

Prévost (Jean).
Les Frères Bouquinquant, 2193*.

Proust (Marcel).
Un Amour de Swann, 79*.
Du côté de chez Swann, 1426**.
A l'ombre des Jeunes Filles en fleurs, 1428**.
Le Côté de Guermantes (t. 1), 1637**, (t. 2), 1639**.
Sodome et Gomorrhe, 1641**.
La Prisonnière, 2126**.
Albertine disparue, 2127**.
Le Temps retrouvé, 2128**.

Prouty (Olive).
Stella Dallas, 260**.

Queffélec (Henri).
Un Recteur de l'Ile de Sein, 656*.
Tempête sur Douarnenez, 1618**.
Un Homme d'Ouessant, 2225*.

Queneau (Raymond).
Pierrot mon Ami, 120*.
Zazie dans le Métro, 934*.

Radiguet (Raymond).
Le Diable au Corps, 119*.
Le Bal du Comte d'Orgel, 435*.

Ramuz (Ch.-F.).
La Grande Peur dans la Montagne, 2474*.

Raucat (Thomas).
L'Honorable partie de campagne, 2183*.

Rawlings (M.K.).
Jody et le Faon, 139**.

Reboux (Paul) et Muller (Charles).
A la manière de..., 1255*.

Régnier (Henri de).
La Double Maîtresse, 1995**.

Remarque (E.M.).
A l'Ouest rien de nouveau, 197*.
L'Ile d'Espérance, 1170**.
Arc de Triomphe, 2327***.
L'Obélisque noir, 2567**.

LES CHEMINS DE LA LIBERTÉ (ordre chrodologique) :
1. *L'Age de raison*, 522**.
2. *Le Sursis*, 654**.
3. *La Mort dans l'âme*, 821**.

Schlumberger (Jean).
Saint-Saturnin, 2552**.

Schnitzler (Arthur).
Les dernières cartes, 2606*.

Schœndœrffer (Pierre).
La 317e Section, 1978*.

Schuré (Edouard).
Les Grands Initiés, 1613***.

Schwarz-Bart (André).
Le Dernier des Justes, 2486**.

Schwob (Marcel).
Le Livre de Monelle, 2587*.

Sempé et Goscinny.
Le Petit Nicolas, 2406**.

Servan-Schreiber (Jean-Jacques).
Le Défi américain, 2607**.

Shaw (Bernard).
Pygmalion, 2433*.

Shute (Nevil).
Le Testament, 686**.

Sillitoe (Alan).
Samedi soir, dimanche matin, 2400**.

Simonin (Albert).
Du Mouron pour les petits oiseaux, 2482**.

Siné.
Je ne pense qu'à chat, 2360**.

Smith (Betty).
Le Lys de Brooklyn, 452***.

Soldati (Mario).
Le Festin du Commandeur, 1251*.

Soubiran (André).
L'Ile aux fous, 1676**.

Steinbeck (John).
Des Souris et des Hommes, 26*.
Les Raisins de la Colère, 44**.
En un Combat douteux, 262**.
A l'Est d'Eden, 1008***.
Tortilla Flat, 1373*.
Tendre Jeudi, 1536*.

Steiner (Jean-François).
Treblinka, 2448**.

Supervielle (Jules).
L'Enfant de la haute mer, 1965*.
Le Voleur d'enfants, 2634*.

Suyin (Han).
Multiple Splendeur, 314**.
Destination Tchoungking, 844**.
La Montagne est jeune, 1580***.
Et la pluie pour ma soif, 1694**.

Toland (John).
Dillinger, les Irréductibles, 2399**.

Tomasi di Lampedusa (G.).
Le Guépard, 2104**.

Toulet (P.-J.).
Mon Amie Nane, 882*.

Traven (B.).
Le Trésor de la Sierra Madre, 1453*.
Le Vaisseau des morts, 2106*.

Triolet (Elsa).
Le Cheval blanc, 698**.
Le Premier accroc coûte 200 francs, 1252**.
Roses à crédit, 1990**.
L'Ame, 2345**.
Luna-Park, 2525*.

Troyat (Henri).
La Tête sur les Epaules, 325*
Le Vivier, 426*.
Faux Jour, 618*.
L'Araigne, 808*.
Le Mort saisit le Vif, 1151*.
Grandeur Nature, 1422*.
Tant que la Terre durera (t. 1), 1350**, (t. 2), 1374**, (t. 3), 1388**.
Le Sac et la Cendre (t. 1), 1502**, (t. 2), 1527**.
Étrangers sur la Terre (t. 1), 1646**, (t. 2), 1658**.
Une Extrême Amitié, 2145*.
Les Semailles et les Moissons, (t. 1), 2447***.
Amélie, 2613**.

t'Serstevens.
L'Or du Cristobal, 616*.

Vailland (Roger).
Les Mauvais Coups, 459*.
La Loi, 600**.
Drôle de Jeu, 640**.
325 000 Francs, 986*.
Bon pied, bon œil, 1387*.
Un Jeune Homme seul 2212*.

Van der Meersch (Maxence .
La Maison dans la Dune, 913*.
Invasion 14, 970***.
Pêcheurs d'Hommes, 1709*.
L'Elu, 1824*.

Veraldi (Gabriel).
A la mémoire d'un ange, 2483**.

Vercel (Roger).
Capitaine Conan, 9*.
Remorques, 36*.
Au Large de l'Eden, 290*.

30/0618/6